胡楚生 著

經學研究續集

臺灣學生書局印行

醫學[illegible]

[illegible]著

臺灣學生書局

自敘

拙稿《經學研究論集》，出版於民國九十一年，彙集論文二十二篇，自是以還，賡續有作，得稿凡十一篇，今將輯為一編，鋟版印行，茲將其各篇內容，摘要敘述如下，以供參稽之用。

第一篇，「《詩》無達詁」——《詩》多歧義之原因及其影響。

此文討論《詩經》特多歧義的原因及其影響，全文分為五節。首節說明問題的內容重點。次節及三節討論《詩》多歧義之原因。四節討論《詩》多歧義對後世《詩》學之影響。五節為結論，說明《詩》多歧義之特質及後世詮解《詩經》時宜採取之態度。

第二篇，〈秦誓〉論考。

《尚書》中〈秦誓〉一篇，舊說皆指為秦軍戰敗之後，穆公悔過自責之辭，而學人討論，亦有指其為穆公諉過移罪之言者。本文之作，則自「穆公行事態度」、「比較五霸行徑」、「《尚書》篇章內容」等三方面，進行考察，加以評論，從而認定，〈秦誓〉之辭，仍當屬於穆公由衷悔過之言為是。

第三篇，邵懿辰「〈禮運〉首段有錯簡說」駁議。

〈禮運〉是《禮記》中的一篇，由於篇中所提到的「大同」與「小康」，受到康有為的表彰，而篇中所提到的「天下為公」，也受到孫中山先生的推崇，因此，〈禮運〉篇在近代，格外受到人們的重視。清代的邵懿辰，在他所著的《禮經通論》之中，主張將〈禮運〉篇首段中的二十六字，自「小康」節中，移往「大同」節內，如此，便可以恢復〈禮運〉篇首段文字的原貌。此文從多方面考察，也針對邵氏所提出的證據，一一加以反駁。所得的結論是，邵氏的主張，並不足以成立。

第四篇，伊川《易傳》中政治思想之解析。

《易》學發展至漢代，學者多以象數解《易》，至於三國時代，王弼摒棄象數之說，而以老莊玄理，注解《周易》，及至宋代，程頤撰寫《易傳》一書，純以儒學義理，解釋《周易》，既不全廢象數，常以《易》象，闡明修己治人之原理，也時或以古代歷史事件，佐證《易》中之義理，其所解說，最與孔門義趣相近。此文之作，主要分析程頤《易傳》中的政治思想，分為君道、臣道、求賢、治民、刑獄、用兵等六項重點，加以說明。

第五篇，馬一浮論《春秋》要旨。

馬一浮先生在《復性書院講錄》之中，曾經藉著講述《論語》大義，而撮舉了《春秋》的要旨，共分為「夷夏進退」、「文質損益」、「刑德貴賤」、「經權予奪」等四項。此文之作，則對馬先生所指出的四項要旨，枚舉《春秋》經傳中之事例，加以佐證詮釋。

第六篇，試論《春秋》「獲麟」之文化史義涵——以俞樾之說為探索中心。《春秋》魯哀公十四年記載：「春，西狩獲麟。」而孔子《春秋》之記載，也於是年輟筆。歷來學者對於孔子《春秋》輟筆與「獲麟」之關係，看法多不相同，本文之作，除引述歷代較為重要的見解之外，主要以清人俞樾之說，作為探索之中心，而加以敘述討論，以顯現俞樾說法之特色。

第七篇，《春秋公羊傳》中顯現之「崇讓」與「惡諼」精神。《春秋公羊傳》是一部充滿道德理想的書籍，因此，對於人們謙虛禮讓的態度，特別加以推崇，對於人們爾虞我詐的行為，則最為厭惡。此文探討《春秋公羊傳》中「崇讓」與「惡諼」之精神，全文分為四節。首節引言，說明「崇讓」及「惡諼」的意義。次節，引述《春秋公羊傳》中的史事與判斷，以佐證《春秋公羊傳》中特別崇尚謙讓之精神。三節，引述《春秋公羊傳》中的史事與判斷，以佐證《春秋公羊傳》中特別厭惡詭詐之行徑。四節，結語，說明《春秋》是經，故在《春秋》及《公羊傳》中，皆具有濃烈的道德理想，也說明孔子藉著筆削《春秋》之義，以闡釋人生應該具有的常經常則。

第八篇，史法與經例——比較錢大昕及劉逢祿兩篇〈春秋論〉中之見解。

清代學者錢大昕與劉逢祿，各自撰有〈春秋論〉，但是，錢劉二人對於《春秋》的見解，卻不盡相同，錢氏以為，《春秋》褒貶的方法，在於「直書其事」，使之「善惡自見」。劉氏以為，《春秋》褒貶的方法，在於「屬辭比事」，使之「參互見義」。本文之作，即在舉出錢劉二人對於《春秋》中同一事件，而有不同看法之例證，加以比較分析，並探索二人見解所以不同之原因。本文之末，則附帶考論《魏源集》中〈公羊春秋論〉一文與劉逢祿〈春秋論〉之關係。

第九篇，陳澧「《春秋》學」析評。

陳澧是晚清時代著名的經學家，他所撰著的《東塾讀書記》，前十卷中，皆屬探討經學之問題，本文之作，則針對陳氏該書中有關《春秋》之意見，提出陳氏六項最為重要之見解，加以分析說明，以期彰明陳氏在《春秋》學上之重要觀點。

第十篇，發揮經義，取證史事——俞樾《達齋春秋論》析評。

俞樾是清代著名的經學家，在研究經學的方法上，他最服膺高郵王氏父子，因此，俞樾所撰著的《群經平議》，便也與王引之所著的《經義述聞》一樣，都是以訓詁考證為主，但是，俞樾所著的《達齋春秋論》，卻與《群經平議》中研究《春秋》三《傳》的方法，有所不同，而是以闡發《春秋》要義為主，而且，也時時引述了許多歷代的史事，作為《經》義的印證，俾使讀者，可以獲取鑒戒。本文之作，即是對於俞氏的《達齋春秋論》，分析其內容，彰明其特色，評論其價值。

第十一篇，廖平《春秋三傳折中》析評。

廖平師承王闓運，擅長《春秋》之學，不僅對於今文經學的《公羊傳》和《穀梁傳》，加以推崇，同時，對於古文經學的《左傳》，也加以尊奉，他對三《傳》，都有不少專門的著述，其中《春秋三傳折中》一書，則是他希望會同三《傳》要義的著作，他認為三《傳》同出一源，宏綱巨領，並無不同。本文寫作之目的，即在探討廖平「折中」三《傳》的意見，並引用傅隸樸先生《春秋三傳比義》的看法，與之對照，從而分析評論，以見廖平「會同」三《傳》的觀點，是否切實可行。

以上拙稿凡十一篇，即命之為《經學研究續集》，仍蒙學生書局惠允印行，而製版印刷等多項事務，則煩勞陳蕙文學棣費心，謹此也一併附誌謝忱。

中華民國九十六年八月一日　胡楚生　識於明道大學國學研究所

經學研究續集 目次

壹、「《詩》無達詁」——《詩》多歧義之原因及其影響

一、引言

《史記・孔子世家》記載：「古者，詩三千餘篇，及至孔子，去其重，取可施於禮義，上採后稷，中述殷周之盛，至幽厲之缺，始於衽席，故曰，〈關雎〉之亂，以為風始，〈鹿鳴〉為小雅始，〈文王〉為大雅始，〈清廟〉為頌始。三百五篇，孔子皆弦歌之，以求合韶武雅頌之音，禮樂自此可得而述，以備王道，成六藝。」❶至於春秋時代，諸侯聘問，行人

❶ 司馬遷：《史記》，臺北，鼎文書局，民國八十年。

往來，往往賦詩言志，又多斷章取義，《詩》之引用，已多歧義，《漢書．藝文志》記載：「孔子純取周詩，上采殷，下取魯，凡三百五篇，遭秦而全者，以其諷誦，不獨在竹帛故也。漢興，魯申公為《詩》訓故，而齊轅固、燕韓生，皆為之傳，或取《春秋》，采雜說，咸非其本義，與不得已，魯最為近之，三家皆列於學官，又有毛公之學，自謂子夏所傳，而河間獻王好之，未得立。」❷故四家之詩，異說益多，而亦「咸非其本義」。

及至西漢武帝時，董仲舒在所撰《春秋繁露．精華篇》中說：「所聞《詩》無達詁，《易》無達占，《春秋》無達辭，從變從義，而一以奉人（天）。」❸他將《詩》多歧義，與《易》多變化，《春秋》多特例，相提並論，說明了《詩》之意旨，歧義既多，所以也難有定於一律而適合各家詮解的情形出現。

要之，就《詩》的理解而言，「《詩》多歧義」是「《詩》無達詁」的「因」，「《詩》無達詁」是「《詩》多歧義」的「果」，因果相承。至於「《詩》多歧義」的原因，則是本文想要探究的目的。

二、《詩》多歧義的原因（上）

《詩》多歧義的原因，自古以來，即有不少學者加以探究，本文在此，僅能枚舉一些較為重要的看法，作為例證：

(一)歐陽修的看法

宋代歐陽修《詩本義・本末論》曰：

> 詩之作也，觸事感物、文之以言，美者善之，惡者刺之，以發其揄揚怨憤於口，道其哀樂喜怒於心，此詩人之意也。古者國有采詩之官，得而錄之，以屬太師，播之於樂，於是考其義類，而別之以為風雅頌，而比次之，以藏於有司，而用之宗廟朝廷，下至鄉人聚會，此太師之職也。世久而失其傳，亂其雅頌，亡其次序，又采者積多而無所擇，孔子生於周末，方修禮樂之壞，於是正其雅頌，刪其繁重，列於《六經》，著其善惡，以為勸戒，此聖人之志也。周道既衰，學校廢而異端起，及漢承秦焚書之

---

❷ 班固：《漢書》，臺北，世界書局，民國五十二年。

❸ 蘇輿：《春秋繁露義證》，北京，中華書局，一九九二年。蘇氏於《義證・精華第五》「而一以奉人」下引盧文弨云：「（奉人）疑當作奉天。」

後，諸儒講說者，整齊殘缺以為之義訓，恥於不知而人人各自為說，至或遷就其事，以曲成其己學，其於聖人，有得有失，此經師之業也。惟是詩人之意也，太師之職也，聖人之志也，經師之業也，今之學詩也，不出於此四者。❹

歐陽修（一〇〇七—一〇七二）從詩的產生，到《詩》的發展過程，分析《詩》有詩人創作之用意，進而有國家太師采集合樂之職責，孔子刪繁使合雅頌之心志，以及漢代儒生講論之專業等四種不同的成份，因此，《詩》之要旨，也自然出現了四種歧義的存在。

㈡魏源的看法

清代魏源《詩古微》曰：

夫《詩》，有作《詩》者之心，而又有采《詩》、編《詩》者之心焉，有說《詩》者之心，而又有賦《詩》、引《詩》者之心焉。❺

魏源（一七九四—一八五七）也是從《詩》的產生，到《詩》的發展過程，分析《詩》有詩人創作時之心意，進而有太師采集及編纂時之心意，有經師解說時之心意，又有行人賦而言志時之心意，更有文人學士引述時之心意。因此，時代不同，身分不同，與《詩》有關者之心意不同，遂也造成了《詩》之要旨，自然出現了多重歧義的存在。

㈢龔橙的看法

清代龔橙《詩本誼·序》曰：

> 有作《詩》之誼，有讀《詩》之誼，有太師采《詩》瞽矇諷誦之誼，有周公用為樂章之誼，有孔子定《詩》建始之誼，有賦《詩》引《詩》節取章句之誼，有賦《詩》寄託之誼，有引《詩》以就己說之誼。❻

龔橙（一八一七—一八七八）也是從《詩》的產生，到《詩》的發展過程，而分析出《詩》至少

❹ 歐陽修：《詩本義》，臺北，商務印書館影印《四庫全書》本。
❺ 魏源：《詩古微》，臺北，藝文印書館影印《皇清經解續編》本。
❻ 龔橙：《詩本誼》，臺北，新文豐出版社《叢書集成續編》本，民國七十八年。

有作詩、讀詩、采詩、誦詩、合樂、定《詩》、賦《詩》、引《詩》等八種歧義的存在。

㈣皮錫瑞的看法

清代皮錫瑞《經學通論》曰：

就《詩》而論，有作《詩》之意，有賦《詩》之意，鄭君云：「賦者或造勢，或述古。」故《詩》有正義，有旁義，有斷章取義。以旁義為正義則誤，以斷章取義為本義尤誤。是其義雖並出於古，亦宜審擇，難盡遵從。❼

皮錫瑞（一八五〇—一九〇八）也是從《詩》的產生，到《詩》的發展過程，而分析出《詩》有創作時的「正義」，有逐漸由「正義」而發展出來的「旁義」，以至後人引述賦誦時的「斷章取義」，綜而言之，《詩》之歧義，乃是詩篇發展時自然出現的現象。

㈤方玉潤的看法

清代方玉潤《詩經原始・凡例》曰：

賦比興三者，作《詩》之法，斷不可少，然非執定某章為興，某章為比，某章為賦，更可笑者，賦而興、興而比之類，如同小兒學語，句句強為分解也。夫作詩必有興會，或因物以起興，或因時而感興，皆興也，其中有不能明言者，則不得不借物以喻之，所謂比也，或一二句比，或通章比，皆相題及文勢為之，亦行乎其所不得不行已耳，非判然三體，可以分晰言之也。❽

方玉潤（一八一一—一八八三）針對《詩》的寫作方法，提出他的看法，因為，《詩・大序》曰：「故《詩》有六義焉，一曰風，二曰賦，三曰比，四曰興，五曰雅，六曰頌。」風雅頌乃《詩》之寫作體裁，賦比興乃《詩》之表現方法，一般而言，「賦」是直陳其事，「比」是取彼喻此，「興」是聯想詠嘆。但是，後世學者，對於賦比興的定義，既已不同，而且，用以解釋三百篇的作法，也多異說，往往同一首詩，有人說是「賦也」，有人說是「比也」，有人說是「興也」，有人說是「興兼比也」，但是，方玉潤以為，賦比興三者，「非

❼ 皮錫瑞：《經學通論》，卷二，臺北，河洛圖書出版公司，民國六十三年。

❽ 方玉潤：《詩經原始》，臺北，藝文印書館影印本，民國四十九年。

判然三體，可以分晰言之」，因此，對於《詩》的寫作方法，是直接賦陳？抑是比？抑是興？或是兼具比興？看法不同，對於作品的內容，自然也就在欣賞時出現了觀點的歧義。

從前文引述過的各家看法而言，可以將之歸納為幾項重點：

1.是作詩者作《詩》的用心，及《詩》所蘊含的本義問題。

2.是采詩、刪詩、合樂者整理《詩》作的問題。

3.是讀者賦《詩》、讀《詩》的欣賞《詩》作的問題。

綜合言之，約有上述三項重點，也就因為有此三項重點，以致在《詩》為後人所理解時，也往往造成了《詩》多歧義的一些「原因」。

三、《詩》多歧義的原因（下）

在上一節中，我們引述了一些古代學者們的意見去分析《詩》多歧義之原因，是由於《詩》之作者、整理者、讀者可能有不同的用意所致。

在本節中，我們將嘗試從《詩》的文字詞彙，以及詩篇標題方面，再作考察。

(一)從構成詩篇的文詞特性作考察

漢字是單音節的孤立文字，一個文字，一個音節，往往便是一個詞彙，便是一個意義的單位，雖然，漢語中有時也有由兩個以上的文字和音節組成的詞彙，如權輿、窈窕、玄黃、躑躅之類，因此，一般語言學家，也多將漢語詞彙區分為單音詞、雙音詞和多音詞三種，而後兩者又區分為聯綿詞與複合詞。筆者嘗撰有〈古漢語中單音詞與複音詞之關係〉❾一文，以下所敘，大體即據拙稿加以論述。

一詞（一字）多義，是漢語中單音詞的特徵，這種現象，在其他語言中雖也具有，卻以漢語單音詞彙最為顯著，每一單音詞，除了它唯一的本義之外，由於引申的作用，可以使其詞義，由一義發展為數義，甚至數十義，此外，由於「假借」、「通假」、「譬喻」、「雙關」等原因，也與單音詞詞義的增多，有密切的關係。

例如《詩經・召南・摽有梅》曰：

❾ 胡楚生：〈古漢語中單音詞與複音詞之關係〉，《中央研究院第一屆國際漢學會議論文集》，民國七十年。

摽有梅，其實七兮，求我庶士，迨其吉兮。
摽有梅，其實三兮，求我庶士，迨其今兮。
摽有梅，頃筐塈之，求我庶士，迨其謂之。❿

這首詩，〈小序〉說是「男女及時也」，對於「梅」字，陳奐《詩毛氏傳疏》說：「梅媒聲同，故詩人見梅以起興。」⓫日人竹添光鴻《毛詩會箋》也說：「梅媒聲同，故詩人見梅以起喻，是以梅落喻容色之將萎。」⓬都是認為詩人由梅到媒，從聲音上，先引起人們的聯想。對於「摽」字，《毛傳》、《朱傳》都訓「落」，嚴粲《詩緝》訓「擊」，他說：「摽本訓擊，〈邶・柏舟〉寤辟有摽是也，此詩謂擊而落之。」⓭聞一多《詩經新義》以為，「摽即古拋字」，並以為，《詩經・衛風・木瓜》中有「投我以木瓜，報之以瓊琚，匪報也，永以為好也」之句，乃是「女之求士者，相投之以木瓜，示願以身相許之意，士亦嘉納其情，因報之瓊琚以定情」，而〈摽有梅〉，亦「女求士之詩」，「摽梅亦女以梅摽男，而以梅相摽，亦正所以求之法」，「古俗於夏季果熟之時，會人民於村中，士女分曹而聚，女以果實投其所悅之士，中焉者或以佩玉相報，即相約為夫婦焉。」⓮他並以《晉書・潘岳傳》中所記「岳美姿儀」，「少時常挾彈出洛陽道，婦人遇之者，皆連手縈繞，投之以果，遂滿載以歸」作例子，作為那種流風餘韻留存後世的證明。

由於「梅」字「摽」字意義訓釋的岐義，提供了不同的解說和意境，這是單音詞多義現象所產生的一些作用。又如《詩經・召南・野有死麕》曰：

> 野有死麕，白茅包之，有女懷春之，吉之誘之。
> 林有樸樕，野有死鹿，白茅純束，有女如玉。
> 舒而脫脫兮，無感我帨兮，無使尨也吠。

這首詩，〈小序〉說是「惡無禮也」，對於「誘」字，《毛傳》說：「誘，道也。」《鄭箋》說：「有貞女思仲春以禮與男會，吉士使媒人道成之，疾時無禮而言然。」朱子《詩集

⑩ 孔穎達：《毛詩正義》，臺北，藝文印書館影印阮刻《十三經注疏》本，下引並同。

⑪ 陳奐：《詩毛氏傳疏》，臺北，廣文書局，民國五十六年。

⑫ 竹添光鴻：《毛詩會箋》，臺北，大通書局，民國五十九年。

⑬ 嚴粲：《詩輯》，臺北，廣文書局，民國四十九年。

⑭ 聞一多：〈詩經新義〉，載《聞一多全集》卷二，臺北，里仁書局，民國八十五年。

傳》說：「言美士以白茅包死麕，而誘懷春之女也。」⓯對於關鍵詞「誘」字而言，至少便出現了兩種明顯不同的詞義，朱子釋「誘」，是以「引誘」為解，以符合他所說的「南國被文王之化，女子有貞潔自守，不為強暴所污者，故詩人因所見以興其事而美之」的詩旨。毛鄭二人釋「誘」，則是以「誘道（導）」為解，以達到〈小序〉「惡無禮」，而能使「貞女」，「以禮與男會」，「吉士使媒人道（導）成之」的目的。對於此詩中的「誘」字而言，這也是單音詞多義現象所產生的一些現象。又如《詩經・邶風・二子乘舟》曰：

二子乘舟，汎汎其景，願言思子，中心養養。

二子乘舟，汎汎其逝，願言思子，不瑕有害。

這是一首頗具悲劇意味的詩，〈小序〉說：「思伋、壽也，衛宣公之二子，爭相為死，國人傷而思之，作是詩也。」《毛傳》說：「宣公為伋取於齊女而美，公奪之，生壽及朔，朔與其母愬伋於公，公令伋之齊，使賊先待於隘而殺之，壽知之，以告伋，使去之，伋曰，君命也，不可以逃，壽竊其節而先往，賊殺之，後伋至，曰，君命殺我也，壽有何罪？賊又殺之，國人傷其涉危遂往，如乘舟而無所薄，汎汎然，迅速而不礙也。」順著《毛傳》與〈小序〉的說法，我們來檢視這首詩篇。

對於「景」字，王引之《經義述聞》訓之為「憬」，以為是「遠行貌」⑯，馬瑞辰《毛詩傳箋通釋》說：「景，古音讀為廣，謂遠行貌，與下章汎汎然同義。」⑰這是一種解釋。此外，陸德明《經典釋文》說：「景，如字，或音影。」朱子《詩集傳》說：「景，古影字。」嚴粲《詩緝》也說：「景，如字，或音影。」這又是另一種解釋。

如將此詩「景」字釋為「遠行貌」，則此詩首章意義為二子乘舟，漂浮不定，愈行愈遠而去，故國人思念二子，心中憂愁不止。此外，如將「景」字釋為「影」之借字，則像孔穎達《毛詩正義》所說：「觀之汎汎然，見其影之去，往而不礙。」嚴粲《詩緝》所說：「其影汎汎然何所歸乎？為其將見殺，顧其影而憐之也。」竹添光鴻《毛詩會箋》所說：「汎汎其景，是描寫渡河之時，二子之影，與水波俱浮況，以見顧影可憐之意，而此舟一逝，其影即不可復見矣，痛其往而不返也。」以及糜文開裴普賢二位合著的《詩經欣賞與研究》，將

---

⑮ 朱熹：《詩集傳》，香港，中華書局，一九六一年。下引並同。

⑯ 王引之：《經義述聞》，臺北，中華書局，《四部備要》本，民國五十五年。

⑰ 馬瑞辰：《毛詩傳箋通釋》，臺北，鼎文書局，民國六十二年。

此詩該句譯為「水裡漂盪著他們的倒影」⓲，便都「詞」有所屬，而「義」有所歸，詩旨也十分傳神而感人至深了。這也是單音詞多義現象所導引而產生的一些現象，也都影響到詩義欣賞的深淺及角度。

梅祖麟先生在〈文法與詩中的模稜〉一文中，曾經「從字形、字義、構詞、典故各方面看廣義的模稜在詩詞中的藝術作用」，同時指出，「模稜之所以成為新文學批評的基本觀念之一，是由於安普生的倡導，而安普生本人認為任何一個語言成份，只要在詩中有數種作用，就可以算作模稜」⓳。梅氏所謂之「模稜」，正是指詩詞中語彙的歧義性。

劉若愚先生在他的《中國詩學》第二章中，討論到「漢字與單詞的含意和聯想」時，曾經說道：「正像英文一樣，而且更甚，中文的一個詞，並不總是具有明確固定的一個意思，而是經常包含有不同的意味，其中有些可能是不容並立的。」又說：「這在說明性的散文中也許是個重大的缺點，然而在詩中卻可能成為優點，因為它使思想感情能夠以最經濟的詞句表現出來。」因此，他以為，「這在英文中也有，但我相信，在程度上不如中文。在這點，中文是更適於的寫詩的語言。」⓴劉氏的話，是泛指中國詩詞而言，並不是專門針對《詩經》而言，但是，《詩經》也是詩，他的看法，也正好切中漢語單音詞在《詩經》中的特性與作用。

其實，不僅單音詞富於多歧義的現象，漢語中多音節的聯綿詞，同樣也有著多歧義的傾向。[21]

㈡從詩篇與標題的結構作考察

古代典籍，命定篇目之名，約有兩種途徑，其一是「以義名篇」，其一是「不以義名篇」。以義名篇的例子，如《莊子》的〈逍遙遊〉、〈齊物論〉、〈養生主〉，《荀子》的〈勸學〉、〈正名〉、〈解蔽〉等，都是總括全篇要旨以命名，察其名即可思其義，縱覽各篇篇目，則全書之內容，大約可知。不以義名篇的例子，如《論語》的〈學而〉、〈為政〉、〈里仁〉，《毛詩》的〈關雎〉、〈卷耳〉、〈柏舟〉等，都是截取篇首文字，用以命名，察其名也不足以識其義，縱覽各篇篇目，全書之內容，仍茫然不知。前者或為該書作者自行命定，後者多為編者代為擬出。[22]

---

⑱ 糜文開、裴普賢：《詩經欣賞與研究》，臺北，三民書局，民國五十三年。

⑲ 梅祖麟：〈文法與詩中的模稜〉，臺北，中央研究院《歷史語言研究所集刊》三十九本，民國五十八年。

⑳ 劉若愚：《中國詩學》（杜國清譯），臺北，幼獅文化事業公司，民國六十六年。

㉑ 參胡楚生：《訓詁學大綱》第四章第二節〈聯綿字的特質〉，臺北，華正書局，民國七十二年。

㉒ 參胡楚生：《中國目錄學》第一章第二節〈體制〉，臺北，文史哲出版社，民國八十四年。

顧亭林《日知錄》卷二十二〈詩題〉條曰：「三百篇之詩人，大率詩成，取其中一字二字三四字以名篇，故十五國，並無一題，唯〈頌〉中間一有之。」㉓故大體而言，《詩經》三百篇，多「不以義名篇」者，其篇名皆截取詩首數字以標示，僅就篇名，也無法窺知詩篇的內容與義旨。

《詩經》中之詩篇，如果其詩題，乃是「以義名篇」者，甚至詩題即是作詩之人自行命定者，其題目既已確定，詩篇的內容方向，篇章義旨，也已確定，則後世讀者，自可就其題目，尋求詩旨，就其詩篇文字內容，印證詩題，兩者相互佐證，反覆尋求，而詩人作詩之用心，詩篇之本義，皆可循線了解，不難得其真相。

反之，《詩經》中之詩篇，如果其詩題乃是「不以義名篇」者，或者，詩題非作詩之人自行命定（而為編纂者所命定者），則詩篇之義旨方向，實游離而無法確定，詩人撰寫詩篇之方法，為「賦」為「比」為「興」？也不易確知，則後世讀者，僅就詩篇之文字詞語，以推測探尋詩人之用心，詩篇之本義，而能否得其真相，乃大有可疑。

皮錫瑞在《經學通論》卷二中有〈論風人多託意男女，不可以文害辭〉一文，曾說：「唐詩如張籍君知妾有夫一篇，乃在幕中卻李師道聘作，託於節婦而非節婦，朱慶餘洞房昨夜停紅燭一篇，乃登第後謝薦舉作，託於新嫁娘而非新嫁娘，皆不待箋釋而明者。」又說：

「此皆詞近閨房，實非男女，言在此而意在彼。」㉔言在此而意在彼，於「賦、比、興」中，屬於詩人用「比」之撰作方法。

張籍的〈節婦吟〉如下：

> 君知妾有夫，贈妾雙明珠，感君纏綿意，繫在紅羅襦。妾家高樓連苑起，良人執戟明光裡。知君用心如日月，事夫誓擬同生死。還君明珠雙淚垂，恨不相逢未嫁時。㉕

朱慶餘的〈近試上張水部〉如下：

> 洞房昨夜停紅燭，待曉堂前拜舅姑，妝罷低聲問夫婿，畫眉深淺入時無？㉖

㉓ 顧炎武：《原抄本日知錄》，臺北，文史哲出版社，民國六十八年。

㉔ 皮錫瑞：《經學通論》，臺北，河洛圖書出版社，民國六十三年。

㉕ 李建崑：《張籍詩集校注》，臺北，華泰文化事業公司，民國九十年。

㉖ 邱燮友：《新譯唐詩三百首》，臺北，三民書局，民國七十七年。

這兩首詩，如果只就詩中文字詞語所反映呈現的意義來看，絕對是男女情人悲怨以及新婚夫婦的戀愛催妝之作。或者，這兩首詩，人們為之題上「君知」與「洞房」的「不以義名篇」的「詩題」，我們仍然可以認為那是男女情人悲怨以及新婚夫婦的戀愛催妝之作。在詩人的寫作方法上，是屬於直陳其事的「賦」的運用。但是，依據作者張籍與朱慶餘所自行命定的詩題〈節婦吟〉及〈近試上張水部〉㉗，我們進而再了解到中唐憲宗之世，藩鎮割據，平盧節度使李師道炙手可熱，攏絡中央官員，以書幣召聘張籍，張籍婉拒，而作此詩貽之。同時，也了解到朱慶餘在應試之前呈給主考官水部員外郎張籍的「溫卷」之詩，目的在於求知主考者對自己詩作的評價。因此，依據詩人的「原題」，則我們只能確切地承認那是詩人的「託意男女」之作，承認那是詩人運用了「言在此而意在彼」的「比」體之作。

筆者曾撰有〈詩序與詩教——從《詩序》內容看《詩經》之教化理想〉一文㉘，在拙稿的「結語」中，曾經提到：「《詩》三百篇，每篇詩作，都有詩題，但其詩題，乃是約取詩首數字，用以標題，故其標題，並不以義名篇，並不標示全詩之義旨，因此，《詩》三百篇，篇篇有題，然而，也等於篇篇無題。」

《詩》三百篇，「篇篇有題，等於無題」，無題之詩，詩人之用心，詩之作法，詩之義旨，難於推測，難於確定，難於了解，也是造成後世讀者在詮解欣賞詩篇時而產生「歧義」

的原因之一。

從此節的討論而言，可以將之歸納為兩項重點：

1.漢字孤立形體及漢語單音詞，易於產生詞彙歧義的問題。

2.《詩經》中詩篇之標題「不以義名篇」，以致詩人之用心難知，詩篇之作法難定，詩文之本義難求，以致產生了詩多歧義以及詩多歧解之問題。

綜而言之，以上兩項重點，也是導致《詩經》為後人所理解時，往往產生了《詩》多歧義的一些「原因」。

四、影響

在上述的兩節之中，我們分別討論了《詩經》所以會多歧義的原因，綜合前兩節的意

㉗ 《全唐詩》卷三八二於此詩題下注云：「寄東平李司空師道。」引見李建崑《張籍詩集校注》，李書並引吳汝煜、胡可先：《全唐詩人名考》卷上云：「李師道當為李師古之訛。」

㉘ 胡楚生：〈詩序與詩教——從《詩序》內容看《詩經》之教化理想〉，載《龍宇純先生七秩晉五壽慶論文集》，臺北，學生書局，民國九十一年。

見，以下，我們將從《詩經》的撰寫、整理、應用、詮解的「過程」，再行說明《詩》多歧義的原因。

㈠文字詞彙的因素

漢字孤立成形，漢語詞彙多單音節語，因此，也更容易受到意義引申，文詞通假，以及修辭、譬喻、雙關等情形的影響，因此，漢語單音詞本身實已具有詞義游移不定，而易多歧義的特性。

㈡作品標題的因素

今本《詩經》，每首詩篇，雖都有標題，但是標題卻不標示詩篇的內容義旨，實則等同「無題」，「無題」之詩，在詩義方面，前提未定，義旨自然游移不定，易生歧解。

㈢作者心意的因素

詩人撰寫詩篇，其用心何在？其所想要表達的義旨何在？其所藉以表達詩旨的方法又何在？是賦？是比？是興？抑或是兩者三者兼用？由於詩篇標題不標示詩篇的內容義旨，詩篇寫作的方法，因而也難以認定，僅從文字詞彙語面推測作者心意，必致歧義叢生。

(四)采詩刪詩的因素

詩人撰作詩篇之後，王官或有采詩之事，聖人或有刪詩之事，諸侯或有賦詩之事，行人或有引詩之事，每於詩篇應用之際，不免輒生新義，轉變詩旨，也因而使詩篇衍生更多之歧義。

(五)訓詁詮釋的因素

秦火之後，漢收典籍，經學遂盛，《詩》有今古文之分，有齊魯韓毛之異，經師釋經，又各有師法家法之別，一有不同，《詩》之歧義，遂因而產生。

(六)欣賞角度的因素

後世讀者，閱讀《詩經》，各以所知所尚，理解欣賞，角度不同，好惡殊異，《詩》也更增多了歧義的出現。

由於以上六種因素（或許還有更多的因素），使得《詩經》從詞彙到詩旨，都產了不少的歧義，使後世的讀者，產生了「《詩》無達詁」的感覺，也產生了難於把握《詩經》義旨的概歎。因此，《詩》多歧義，對於後世理解《詩經》，遂也產生了不少的影響。以下，即選擇幾項重點，加以討論。

《詩》多歧義，因而也導致了「《詩》無達詁」，導致了後人在理解欣賞《詩》時，難以確立一定的方向和準則。因此，在《詩》學發展的歷史上，《詩經》遂也以多重的面貌出現，扮演了多重性質的角色。

以下，即就《詩》學史上較為特殊的詩教說、淫詩說、歌謠說、廋語說，加以討論。

(一)詩教說

《詩》有四家，齊魯韓毛，《毛詩》獨傳於今，四家《詩》，或各有詩序，《毛詩序》獨傳於今，《詩序》之作者，或謂子夏，或謂毛公，或謂衛宏，迄無定論，《詩序》之內容，則大體以「詩教」為主，強調《詩》之義旨，應合於「思無邪」、合於美刺、合於禮義教化，故《禮記·經解》曰：「入其國，其教可知也，溫柔敦厚，《詩》教也。」[29]便是主張「詩教」的代表。

例如《詩經·周南·卷耳》曰：

采采卷耳，不盈頃筐，嗟我懷人，寘彼周行。

陟彼崔嵬，我馬虺隤，我姑酌彼金罍，維以不永懷。

陟彼高岡，我馬玄黃，我姑酌彼兕觥，維以不永傷。

陟彼砠矣，我馬瘏矣，我僕痡矣，云何吁矣。[30]

這首詩，從文字詞面上看，自然是女子思念良人在外之義，但是，《詩序》卻云：「〈卷耳〉，后妃之志也，又當輔佐君子，求賢審官，知臣下之勤勞，內有進賢之志，而無險詖私謁之心，朝夕思念，至於憂勤也。」則將此詩的詩旨，牽引到后妃輔佐君子，求賢審官等教化理想方面。又如《詩經・召南・小星》曰：

嘒彼小星，三五在東，肅肅宵征，夙夜在公，寔命不同。

嘒彼小星，維參與昴，肅肅宵征，抱衾與裯，寔命不猶。

---

[29] 孔穎達：《禮記正義》，臺北，藝文印書館影印阮刻《十三經注疏》本。

[30] 同注[10]。

這首詩，從文字詞面上看，應該是行役在外之人，自傷其勞苦之作，但是，《詩序》卻云：「〈小星〉，惠及下也，夫人無妒忌之行，惠及賤妾，進御於君，知其命有貴賤，能盡其心矣。」則將此詩的詩旨，牽引到諸侯夫人惠及賤妾等教化理想方面。又如《詩經・鄭風・女曰雞鳴》曰：

> 女曰雞鳴，士曰昧旦，子興視夜，明星有爛，將翺將翔，弋鳧與雁。弋言加之，與子宜之，宜言飲酒，與子偕老，琴瑟在御，莫不靜好。知子之來之，雜佩以贈之，知子之順之，雜佩以問之，知子之好之，雜佩以報之。

這首詩，從文字詞面上看，應該是描寫夫婦相敬相愛、相互扶持之作，但是，《詩序》卻云：「〈女曰雞鳴〉，刺不說德也，陳古義以刺今，不說德而好色也。」則將此詩的詩旨，牽引到陳設古代教訓、諷刺今人不知悅德而只知好色的教化功能方面。

當然，從詩人作詩的角度而言，如果詩人是採取直陳其事的「賦」的方法，撰作詩篇，則以上三首詩，理應屬於男女情侶的戀愛之作，但是，如果詩人是採取言在此而意在彼的「比」，或直覺聯想因事起興的「興」的方法，去撰作詩篇，則〈小序〉之說，又何嘗不可以成立呢！問題是，詩人並未曾告訴我們他作詩時所採取的方法。

拙稿〈詩序與詩教——從《詩序》內容看《詩經》之教化理想〉一文曾說：「《詩》三百篇，篇篇有題，然而也等於篇篇無題，而《詩序》之作，在某種意義上，等於是漢人心目中為每篇《詩經》所訂定之『詩題』，因此，在《詩序》的規範之下，每一首詩，只能按照此一『詩題』所指示的方向去思考，而作出與此『詩題』相符相應的意義解釋。」又說：「以《詩序》解《詩經》，或者說，《詩經》附加了《詩序》之後，其體質既已改變，《詩經》則已背負了教化的理想，則『詩猶此詩，義非此義』，《詩序》作者所希望的，是人們在誦讀《詩經》之時，自然地接受另一番他們所預設的道理，感染另一重他們所希盼的意義，那才是《詩序》作者的真正目的，因此，如果人們一定要從《詩序》中去探索《詩經》每首詩篇的本義，那自然不免會有所失望。」[31]拙稿所說，對於《詩序》以教化說《詩》，也許可以有助於讀者的了解。

㈡淫詩說

---

[31] 同注[28]。

朱熹（一一三〇—一二〇〇）研究《詩經》，撰寫《詩集傳》，最初尊信《詩序》，後來受到鄭樵《詩辨妄》的影響，開始懷疑《詩序》，並且修訂《詩集傳》，拋棄《詩序》，盡去舊說，直接從詩篇文詞去探索詩旨。但是，他卻指出《詩經》中有二十四首詩篇，屬於「淫詩」。

《詩經》中被朱熹指認為是「淫詩」的，計有〈邶風〉中的〈靜女〉，〈鄘風〉中的〈桑中〉，〈衛風〉中的〈木瓜〉，〈王風〉中的〈采葛〉、〈丘中有麻〉，〈鄭風〉中的〈將仲子〉、〈遵大路〉、〈有女同車〉、〈山有扶蘇〉、〈蘀兮〉、〈狡童〉、〈褰裳〉、〈丰〉、〈東門之墠〉、〈出其東門〉、〈風雨〉、〈子衿〉、〈揚之水〉、〈野有蔓草〉、〈溱洧〉，〈齊風〉中的〈東方之日〉，〈陳風〉中的〈東門之池〉、〈東門之楊〉、〈月出〉共二十四首。[32]

《論語・衛靈公》曰：「顏淵問為邦，子曰，行夏之時，乘殷之輅，服周之冕，樂則韶舞。放鄭聲，遠佞人，鄭聲淫，佞人殆。」《禮記・樂記》曰：「鄭衛之音，亂世之音也，比於慢矣，桑間濮上之音，亡國之音也，其政散，其民流，誣上行私而不可止也。」也許是受到孔子與〈樂記〉的影響，朱子「淫詩」之說，目標便也針對〈鄭風〉與〈衛風〉而發。

朱熹《詩集傳》於〈鄭風〉之末注云：「鄭衛之樂，皆為淫聲，然以詩考之，衛詩三十有九，而淫奔之詩才四之一，鄭詩二十有一，而淫奔之詩已不啻七之五。衛猶為男悅女之詞，而鄭皆為女惑男之語。衛人猶多刺譏懲創之意，而鄭人幾於蕩然無復悔悟之萌，是則鄭聲之淫，有甚於魏矣。故夫子論為邦，獨以鄭聲為戒而不及衛，蓋舉重而言，固自有次第也，《詩》可以觀，豈不信哉。」[33]

以下，即就朱熹所指為「淫詩」者，略舉其例，以見一斑。《詩經．邶風．靜女》曰：

> 靜女其姝，俟我於城隅，愛而不見，搔首踟躕。
> 靜女其孌，貽我彤管，彤管有煒，說懌女美。
> 自牧歸荑，洵美且異，匪女之為美，美人之貽。

這首詩，《詩序》云：「〈靜女〉，刺時也。衛君無道，夫人無德。」這是以美刺教化為主的講法，以致引申到諷刺衛君及夫人之無道無德。但是，從詩篇的文字詞面上看，所表顯

---

[32] 朱子所定「淫詩」之數，後世所論，多不相同，此據馬端臨《文獻通考．經籍考》所定者。

[33] 同注[15]。

的，應該是男女戀愛相悅之詩。朱子《詩集傳》則云：「此淫奔期會之詩也。」對於此詩三章的作法，朱子都注云：「賦也。」朱子以為詩人作詩，是採取直陳其義的「賦」的方法，直接表露男女雙方相俟於城隅、急迫等待的戀情。其實，朱子不取《詩序》之說，而逕指此詩為「期會」之作，已較教化美刺之說，更為接近人情，也更接近詩篇詞面的義旨，然而，男女「期會」，愛戀相悅，謂之「淫奔」，卻是往另一面跨出了太大的一步，這一大步之中，自然蘊含了朱子作為理學家道學家的心態存在。

又如《詩經・鄘風・桑中》曰：

爰采唐矣，沬之鄉矣，云誰之思，美孟姜矣，期我乎桑中，要我乎上宮，送我乎淇之上矣。

爰采麥矣，沬之北矣，云誰之思，美孟弋矣，期我乎桑中，要我乎上宮，送我乎淇之上矣。

爰采葑矣，沬之東矣，云誰之思，美孟庸矣，期我乎桑中，要我乎上宮，送我乎淇之上矣。

這首詩，《詩序》云：「〈桑中〉，刺奔也。衛之宮室淫亂，男女相奔，至于世族在位，相竊妻妾，期於幽遠，政散民流，而不可止。」這也是以美刺教化為主的講法，諷刺到衛君宮室之內，男女淫亂期會。但是，從詩篇的文字詞面上看，所表顯的，應是男女戀愛相悅期會之詩。朱熹《詩集傳》則云：「衛俗淫亂，世族在位，相竊妻妾，故此人自言將采唐於沬，而與其所思之人相期會迎送如此也。」又云：「〈樂記〉曰，鄭衛之音，亂世之音也，比於慢矣。桑間濮上之音，亡國之音也，其政散，其民流，誣上行私而不可止也。按桑間即此篇，故〈小序〉亦用〈樂記〉之語。」朱子以為〈桑中〉之詩，即是「桑間」之義，即是「亡國之音」，故以為〈桑中〉也是淫亂之詩。對於此詩三章的作法，朱子都注云：「賦也。」其實，朱子以為詩人作此詩，採取直陳其義的「賦」的方法，直接表露男女雙方「期我」、「要我」、「送我」的戀情，進而將之大步跨出推向「淫詩」，也與《詩序》的看法，十分接近，則又何必拋棄《詩序》之說呢！

又如《詩經．鄭風．溱洧》曰：

> 溱與洧，方渙渙兮，士與女，方秉蕑兮，女曰觀乎？士曰既且，且往觀乎，洧之外，洵訏且樂，維士與女，伊其相謔，贈之以勺藥。

> 溱與洧，瀏其清矣，士與女，殷其盈矣，女曰觀乎？士曰既且，且往觀乎，洧之外，洵訏且樂，維士與女，伊其將謔，贈之以勺藥。

這首詩，《詩序》云：「〈溱洧〉，刺亂也，兵革不息，男女相棄，淫風大行，莫之能救焉。」仍然是以美刺教化為主的講法，諷刺鄭國戰亂頻仍，社會淫風流行。但是，從詩篇的文字詞面上看，所表顯的，應是男女情侶，彼此相戲、相贈禮物之詩。朱熹《詩集傳》則云：「鄭國之俗，三月上巳之辰，彩蘭水上以祓除不祥。故其女問於士曰，盍往觀乎？士曰，吾既往矣，女復要之曰，且往觀乎？蓋洧水之外，其地信寬而可樂也，於是士女相與戲謔，且以勺藥相贈而結恩情之厚也。此詩亦淫奔者自敘之詞。」對於此詩二章之作法，朱子都注云：「賦而興也。」朱子以為，詩人作此詩，採取直陳其義的「賦」之外，還兼取了因物聯想起興的「興」的方法，表露出男女且謔且樂的愛戀之情，前引朱子所述的一段詮解，確實已將此詩的內容，彰顯得十分貼切，但是，他最後的一句「此詩亦淫奔者自敘之詞」，不但將此詩大步推向「淫詩」之境，而且還強調了是「淫奔者自敘之詞」，既淫奔，且自誇，無復羞愧，那自然更是罪加一等了。

要之，朱子解《詩》，不信《詩序》，希望從詩篇的文字詞面入手，實已貼近原始民歌的本色，但他卻又將一些文字詞面所顯示的愛情詩篇，推而入於「淫詩」之列，從《詩》的撰作方法而言，他只重視「賦」的方式，偶而兼用「興」法，卻完全排除了詩人用「比」的方法，同時，朱子「淫詩」之說，既要拋棄《詩序》，卻又不敢承認男女戀情的描述，比之《詩序》，不過是五十步笑百步而已。

(三)歌謠說

《詩經》中的十五〈國風〉，起源於民間的歌謠，這本研究《詩經》者共同的看法，所以，《漢書．藝文志》才說：「古有采詩之官，王者所以觀風俗，知得失，自考正也。」但是，到了民國初年，白話文學興起，人們為了強調《詩經》是白話的文學，「以歌謠說《詩》」的風氣，卻又突然顯現，這些意見，多數都收入顧頡剛所編輯的《古史辨》第一冊與第三冊之中。[34]

民國十一年二月二日，錢玄同有一封與顧頡剛的〈論詩經真相書〉，信中說道：「《詩經》只是一部最古的總集，與《文選》、《花間集》、《太平樂府》等書性質全同，與什麼

[34] 顧頡剛編：《古史辨》。第三冊，臺北，里仁書局，民國六十八年。

『聖經』是風馬牛不相及的。」又說：「研究《詩經》，只應該從文章上去體會出某詩是講的什麼。」錢氏認定《詩經》是文學總集，研讀《詩經》，只應從文章上去體會詩的內容，已經為「以歌謠說《詩》」立下了規範。

民國十二年十二月三十日，顧頡剛發表〈從詩經中整理出歌謠的意見〉於《歌謠週刊》三十九號，曾說道：「《詩經》三百零五篇中，到底有幾篇歌謠，這是很難說的。在這個問題上，大家都說〈風〉、〈雅〉、〈頌〉的分類即是歌謠與非歌謠的分類，所以〈風〉是歌謠，〈雅〉、〈頌〉不是歌謠。這就大體上看固然不錯，但我們應該牢牢記住的，這句話只是一個粗粗的分析而不是確當的解釋。」又說：「再有一個意思，我以為《詩經》裡的歌謠都是已經成為樂章的歌謠，不是歌謠的本相。凡是歌謠，只要唱完就算，無取乎往復重沓。唯樂章則因奏樂的關係，太短了覺得無味，一定要往復重沓的好幾遍。《詩經》中的詩，往往一篇中有好幾章都是意義一樣的，章數的不同只是換去了幾個字，我們在這裡，可以假定其中的一章是原來的歌謠，其他數章是樂師申述的樂章。」顧氏在此，對於歌謠與樂歌也作了相對的區分。

民國十二年六月十日，王伯祥撰寫的〈雞鳴〉，發表在《小說月報》十四卷六號，討論的是《詩經・齊風・雞鳴》之詩：

雞既鳴矣，朝既盈矣，匪雞之鳴，蒼蠅之聲。
東方明矣，朝既昌矣，匪東方則鳴，月出之光。
蟲飛薨薨，甘與子同夢，會且歸矣，無庶予子憎。

王伯祥解此詩說：「〈齊風·雞鳴〉詩明明是一首很好的情詩。它寫男女燕暱的狀態，真是活靈活現，使讀這首詩的人可以彷彿想見他們在那裡說話，而且是女對男發的一種無奈何的說辭。」又說：「我們因事無佐證，固然不能強派他們是私情，但也至多不過是新婦恐怕被堂上譴責，或受旁人訕笑而有這種對她丈夫的說話。決不是什麼『賢妃御於君所』，『心存警畏』，『欲令君早起視朝』一類的話頭。」王氏的解說，是從戀人情侶相互叮嚀的歌謠立足點上，去作詮釋。

民國十二年十月二日，俞平伯發表了《葺芷繚衡室讀詩札記》中的〈卷耳〉篇，〈卷耳〉屬於《詩經·周南》之詩：

采采卷耳，不盈頃筐，嗟我懷人，寘彼周行。
陟彼崔嵬，我馬虺隤，我姑酌彼金罍，維以不永懷。

陟彼高岡，我馬玄黃，我姑酌彼兕觥，維以不永傷。

陟彼砠矣，我馬瘏矣，我僕痡矣，云何吁矣。

俞平伯解此詩說：「此詩作為民間戀歌讀，首章寫思婦，二至四章寫征夫，均係直寫，並非代詞。當攜筐采綠者徘徊巷陌，迴腸蕩氣之時，正征人策馬盤旋，度越關山之頃，兩兩相映，境殊而情卻同，事異而怨則一。由彼念此固可，由此念彼亦可，不入憶念，客觀地相映發亦可。所謂向『天涯一樣纏綿者，各自飄零者』，或有當詩人之恉乎？」俞氏的解說，將此詩作為民間戀歌讀，自是從歌謠的立場上去作詮釋的。

民國十四年九月，胡適之先生在武昌大學講演「談談《詩經》」，由劉大杰筆記，並發表在《晨報》副刊之《藝林旬刊》，後來並收入《古史辨》節三冊中，在該文中，胡先生討論到幾首詩篇，先是《詩經．周南．關雎》之詩：

關關雎鳩，在河之洲，窈窕淑女，君子好逑。

參差荇菜，左右流之，窈窕淑女，寤寐求之。

求之不得，寤寐思服，悠哉悠哉，輾轉反側。

參差荇菜，左右采之，窈窕淑女，琴瑟友之。
參差荇菜，左右芼之，窈窕淑女，鐘鼓樂之。

胡適之先生解此詩說：「〈關雎〉完全是一首求愛詩，他求之不得，便寤寐思服，輾轉反側，這是描寫他的相思苦情，他用了一種勾引女子的手段，友以琴瑟，樂以鐘鼓，這完全是初民時代的社會風俗，並沒有什麼希奇，意大利、西班牙有幾個地方，至今男子在女子的窗下彈琴唱歌，取歡於女子，至今中國的苗民還保存這種風俗。」又如《詩經·召南·野有死麕》之詩：

野有死麕，白茅包之，有女懷春，吉士誘之。
林有樸樕，野有死鹿，白茅純束，有女如玉。
舒而脫脫兮，無感我帨兮，無使尨也吠。

胡適之先生解此詩說：「〈野有死麕〉的詩，也同樣是男子勾引女子的詩，初民社會的女子多喜歡男子有力能打野獸，故第一章『野有死麕，白茅包之』，寫出男子打死野麕，包以獻女子的情形，『有女懷春，吉士誘之』，便寫出他的用意了，此種求婚獻野獸的風俗，至今有許多地方的蠻族還保存著。」又如《詩經·召南·小星》之詩：

> 嘒彼小星，三五在東，肅肅宵征，夙夜在公，寔命不同。
> 嘒彼小星，維參與昴，肅肅宵征，抱衾與裯，寔命不猶。

胡適之先生解此詩說：「『嘒彼小星』一詩，是寫妓女生活的最古記錄，我們試看《老殘遊記》，可見黃河流域的妓女送舖蓋上店陪客人的情形。」又說：「我們看她抱衾裯以宵征，就可知道她為的何事了。」胡先生解說《詩經》，也完全是從歌謠的立場去作詮釋的。

胡先生在該文之末，曾經說道：「總而言之，你要懂得《詩經》的文字和文法，必須要用歸納比較的方法。你要懂得三百篇中每一首的題旨，必須撇開一切《毛傳》、《鄭箋》、《朱注》等等，自己去細細涵咏原文。」拋開舊注，涵泳原文，便是從民間歌謠的立場去研究《詩經》的基本態度。只是，這種直接從詩文詞面去「涵咏原文」的態度，前提是詩人作詩，必採「賦」法，直陳其事則可，缺點是，忽略了詩人作詩，也可能採取「比」和「興」的方法。

(四)廋語說

聞一多(一八九九—一九四六)是當代著名的詩人及學者,在《詩經》研究方面,他撰有〈高唐神女傳說之分析〉、〈說魚〉、〈匡齋尺牘〉、〈詩經新義〉、〈詩經通義〉、〈詩新臺鴻字說〉、〈風詩類鈔〉等[35],而以「廋語」之說,研究《詩經》,也是聞一多所獨創的特色。

所謂「廋語」,廋是隱藏之義,如《孟子・離婁上》云:「聽其言也,觀其眸子,人焉廋哉。」其中「廋」字便是此義,因此,「廋語」便是隱約宛轉之語。聞一多認為,《詩經》之中,頗多「廋語」,而廋語所用,又多為男女「情慾」之代稱。

例如聞一多〈詩經通義・汝墳〉中說:「〈國風〉中凡言魚者,皆兩性間互稱其對方之廋語,無一實指魚者。」[36]他的引證,如:

〈陳風・衡門〉云:「豈其食魚,必河之魴,豈其取妻,必齊之姜。」此以魚代女

[35] 見朱自清等編:《聞一多全集》,臺北,里仁書局,民國八十九年。下引並同。

[36] 聞一多:〈詩經通義〉,載《聞一多全集》卷二《古典新義》。

也。

〈周南・汝墳〉云：「魴魚赬尾，王室如燬，雖則如燬，父母孔邇。」

〈邶風・新臺〉云：「魚網之設，鴻則離之，燕婉之求，得此戚施。」

〈齊風・敝笱〉云：「敝笱在梁，其魚魴鰥，其子歸止，其從如雲。」

〈豳風・九罭〉云：「九罭之魚，鱒魴，我覯之子，袞衣繡裳。」

以上三詩，皆以魚代男也。

聞氏又說：「野蠻民族往往以魚為性的象徵，古代埃及亞洲西部及希臘等民族亦然。亞洲西部尤多崇拜魚神之俗，謂魚與神之生殖功能有密切關係，至今閃族人猶視魚為男性器官之象。」可見聞氏以廋語說《詩》主張之一斑。

又如聞一多〈詩經通義・汝墳〉中說：「古謂性的行為曰食，性慾未滿足時之生理狀態曰飢，既滿足後曰飽。」他的引證，如：

〈周南・汝墳〉云：「遵彼汝墳，伐其條枚，未見君子，惄如調飢。」

〈陳風・衡門〉云：「衡門之下，可以棲遲，泌之洋洋，可以樂飢。」

〈曹風・候人〉云：「薈兮蔚兮，南山朝隮，婉兮孌兮，季女斯飢。」聞氏以為，以上三詩之「飢」，皆謂性慾之不遂，反之，滿足之後，則稱之為「飽」。則「飢」與「飽」，都是性慾的廋語。

又如《詩經・唐風・有杕之杜》曰：

有杕之杜，生于道左，彼君子兮，噬肯適我，中心好之，曷飲食之？
有杕之杜，生于道周，彼君子兮，噬肯來遊，中心好之，曷飲食之？

朱子《詩集傳》云：「好賢而恐不足以致之。」尚近詩旨。聞一多〈風詩類鈔・甲〉注此詩云：「飲食是性交的象徵廋語。首二句是唱歌人給對方的一個暗號，報導自己住在什麼地方，以下便說出真意思來，古人說牡曰裳，牝曰杜，果然即是，杜又是象徵女子的暗號。」[37]則是女子示男子以暗語，而願以身就之。《詩經・曹風・蜉蝣》曰：

[37] 聞一多：〈風詩類鈔〉，載《聞一多全集》卷四《詩選與校箋》。下引並同。

蜉蝣之羽，衣裳楚楚，心之憂矣，於我歸處。
蜉蝣之翼，采采衣服，心之憂矣，於我歸息。
蜉蝣掘閱，麻衣如雪，心之憂矣，於我歸說。

《詩序》云：「〈蜉蝣〉，刺奢也。」尚近詩旨。聞一多〈風詩類鈔・甲〉注此詩云：「憂字本訓心動，詩中的憂，往往指性的衝動所引起的一種煩躁不安的心理狀態，與現在憂字的涵義迥乎不同？處、息、說，都有住宿之意。這三句等於說：『來同我住宿罷！』這樣坦直粗率的態度，完全暴露了這等詩歌的原始性。在下二句中，作者表示純然自居於被動地位，這是典型的封建社會式的女子心理。」他將此詩中的「憂」字，指為是象徵女子性慾衝動的廋語。《詩經・邶風・谷風》曰：

習習谷風，以陰以雨，黽勉同心，不宜有怒，采葑采菲，無以下體，德音莫違，及爾同死。
行道遲遲，中心有違，不遠伊邇，薄送我畿，誰謂荼苦，其甘如薺，宴爾新昏，如兄如弟。

> 涇以滑濁，湜湜其正，宴爾新昏，不我屑以，毋逝我梁，毋發我笱，我躬不閱，遑恤我後。
>
> 就其深矣，方之舟之，就其淺矣，泳之遊之，何有何亡，黽勉求之，凡民有喪，匍匐救之。
>
> 不我能慉，反以我為讎，既阻我德，賈用不售，昔育恐育鞠，及爾顛覆，既生既育，比予于毒。
>
> 我有旨蓄，亦以御冬，宴爾新昏，以我禦窮，有洸有潰，既詒我肄，不念昔者，伊余來塈。

此詩六章，每章八句，朱子《詩集傳》云：「婦人為夫所棄，故作是詩。」頗近詩旨，聞一多〈風詩類鈔．乙〉對此詩第五章注云：「慉，好也。阻，拒也。我之德意拒不見納，如人欲賣身為傭而不能自售。恐懼者，憂己不能生育，無為人妻子之道。及，與也。顛覆，蓋謂牀笫之事。既生既育子女，則反視我為毒螫之蟲，言惡己甚也。」則是以男女性愛說詩之義。

廋語，是一種婉轉達義的隱語，在修辭學上，近乎譬喻中的隱喻，在《詩》的「六義」

上，近乎「比」的運用，聞一多過度重視以廋語說《詩》，多少便排斥了《詩》的「賦」和「興」的功能。

五、結　語

在本文的第二、第三節中，我們探討《詩》之所以無達詁，《詩》之所以多歧義的原因，至少有六項因素，那就是：1.文字詞彙的因素。2.作品標題的因素。3.作者心意的因素。4.采詩刪詩的因素。5.訓詁詮釋的因素。6.欣賞角度的因素。

由於以上的至少六種因素，導致了歷代《詩經》學的研究，由此也產了許多不同的立場與角度，所以，在本文的第四節中，也舉出四項比較特殊的觀點：1.詩教說。2.淫詩說。3.歌謠說。4.廋語說。以印證解《詩》時所以易於產生歧義，所以易於有不同的角度，其實，也都各自會受到本文二、三節中所述六項因素中某些因素的影響。

歷代學者們研究《詩經》，產生了許多不同的詮釋角度和立場，以致同一首詩篇，也可能有著相差極為巨大的解說，以致形成「《詩》無達詁」及「《詩》多歧義」的現象，面對此一現象，歷代的《詩》學研究者，或者採取某種角度，探索詩人的用心，或者折中異說，尋求詩篇的意旨，不免「人人自謂握靈蛇之珠，家家自謂抱荊山之玉」㊳，不免人人自以為已經掌握了《詩》的「本義」。

《孟子・萬章上》曾經記載孟子對於解《詩》的觀點，他說：「故說詩者，不以文害辭，不以辭害志，以意逆志，是為得之。」㊴孟子主張理解《詩經》，讀者應該虛心地去玩味詩篇的文字詞句，進而去體察作者的心志與詩篇的原義，而不是刻板地拘囿於文字詞面的語義。

因此，研究《詩經》的學者，面對《詩》的特性，而「以意逆志」時，其實，不妨採取「各以其意，以逆其志」的態度，《詩》有六義，「賦、比、興」三者，既然都是詩人作詩的方法，則：

視《詩經》為民歌本色者，不妨多從「賦」的角度，直接貼就文字詞面，去反映《詩》中的義旨。

視《詩經》為教化之用者，不妨多從「比」的角度，轉就譬喻之妙，去討論《詩》中寄

㊳ 曹植：〈與楊德祖書〉，載《昭明文選》卷四十二，臺北，文化圖書公司，民國七十八年。

㊴ 孫奭：《孟子注疏》，臺北，藝文印書館影印阮刻《十三經注疏》本。

寓的思想。

視《詩經》中有「淫詩」者，自不妨堅持自己特殊的思想背景與立場，去指陳《詩》中可能的情感。

視《詩經》中具廋語之隱者，不妨多從「興」加「比」的角度，體悟聯想之情，去探索《詩》中潛藏的語言密碼。

《詩》多歧義，《詩》無達詁，已經成為自然的現象，已經成為《詩經》的特質，則《詩》旨《詩》義的理解，又何必定於一是而排斥其他？

就讓《詩經》擁有更多更豐富的義旨，就讓讀《詩》的人們擁有更多解析詮釋的自由和空間，從而使《詩經》展示更加多姿多采的風貌，豈不也是值得嘉許的理想！

主要參考書目

孔穎達：《毛詩注疏》，臺北，藝文印書館影印阮刻《十三經注疏》本。

歐陽修：《修本義》，臺北，商務印書館影印《四庫全書》本。

朱　熹：《詩集傳》，香港，中華書局排印本，一九六一年。

魏　源：《詩古微》，臺北，藝文印書館影印《皇清經解續編》本。

龔　橙：《詩本誼》，臺北，新文豐出版公司《叢書集成續編》本，民國七十八年。

方玉潤：《詩經原始》，臺北，藝文印書館，民國四十九年。

嚴　粲：《詩緝》，臺北，廣文書局，民國四十九年。

姚際恆：《詩經通論》，臺北，廣文書局，民國五十年。

皮錫瑞：《經學通論》，臺北，河洛圖書出版社，民國六十三年。

王靜芝：《詩經通釋》，臺北，輔仁大學，民國七十四年。

余培林：《詩經正詁》，臺北，三民書局，民國八十二年。

洪湛侯：《詩經學史》，北京，中華書局，二〇〇四年。

黃忠慎：《朱子詩經學新探》，臺北，五南書局，民國九十一年。

車行健：《詩本義析論》，臺北，里仁書局，民國九十一年。

檀作文：《朱熹詩經學研究》，北京，學苑出版社，二〇〇四年。

林慶彰編：《詩經研究論集》，臺北，學生書局，民國七十二年。

趙制陽：《詩經名著評介》，臺北，學生書局，民國七十二年。

熊公哲等：《詩經研究論集》，臺北，黎明文化公司，民國七十五年。

顧頡剛編：《古史辨》，臺北，里仁書局，民國六十八年。

聞一多：《聞一多全集》，臺北，里仁書局，民國八十九年。
劉若愚：《中國詩學》（杜國清譯），臺北，幼獅文化公司，民國六十八年。

貳、〈秦誓〉論考

一、引言

今文《尚書》中有五篇以「誓」為名的篇章，其中〈甘誓〉、〈湯誓〉、〈牧誓〉、〈費誓〉都是記錄征伐之前君王或諸侯激勵將士奮勇作戰的辭語（〈泰誓〉屬偽古文），只有〈秦誓〉的內容與之稍異。

〈秦誓〉的原文如下：

公曰：「嗟！我士，聽無譁，予誓告汝群言之首。古人有言曰：『民訖自若是多盤。』責人斯無難，惟受責，俾如流，是惟艱哉，我心之憂，日月逾邁，若弗云來。」

惟古之謀人，則曰未就予忌，惟今之謀人，姑將以為親。雖則云然，尚猷詢茲黃髮，則罔所愆。

番番良士，旅力既愆，我尚有之。仡仡勇夫，射御不違，我尚不欲。惟截截善諞言，俾君子易辭，我皇多有之。

昧昧我思之，如有一介臣，斷斷猗無他伎，其心休休焉，其如有容，人之有技，若己有之，人之彥聖，其心好之，不啻若自其口出，是能容之，以保我子孫黎民，亦職有利哉！

人之有技，冒疾以惡之，人之彥聖，而違之，俾不達，是不能容，以不能保我子孫黎民，亦曰殆哉！

邦之杌隉，曰由一人，邦之榮懷，亦尚一人之慶。[1]

〈秦誓〉記載的內容，與〈甘誓〉等不同，並非征伐之前君王激勵將士奮勇作戰之辭，而是諸侯在戰爭失敗後的追悔自責之辭，《尚書序》云：

秦穆公伐鄭，晉襄公帥師敗諸崤，還歸，作〈秦誓〉。❷

根據《左傳》記載，魯僖公三十二年（西元前六二八年），晉文公卒，秦穆公將伐鄭，訪於蹇叔，蹇叔力諫，以為勞師襲遠，絕非所宜，穆公不聽，命百里孟明視，西乞術、白乙丙三人帥師伐鄭，蹇叔之子，與於師中，蹇叔哭而送之。並謂「吾見師之出，而不見其入也」，並分析秦晉交戰，必將遇於殽地，而預言將收其子之屍於是。穆公不悅，使人謂之曰：「爾何知！中壽，爾墓之木拱矣。」其言極不禮貌。僖公三十三年（西元前六二七年），秦師及滑，鄭國商人弦高將市於周，遇之，假鄭君之命，以乘韋及牛十二頭，犒勞秦師，並急告於鄭君，秦師知鄭有備，滅滑而還。時晉文公已歿，晉襄公墨衰絰，帥師救鄭，與秦師戰於殽，大敗秦軍，獲百里孟明視、西乞術、白乙丙以歸。晉文公夫人文嬴（秦女）請於襄公，以三帥構惡兩國，請歸秦受戮，襄公許之，三帥歸秦，穆公素服，俟於郊次，向師而哭，曰：「孤違蹇叔，以辱二三子，孤之罪也。」又曰：「孤之過也，大夫何罪！」乃不易三帥。

❶ 孔穎達：《尚書注疏》，臺北，藝文印書館影印阮刻《十三經注疏》本。下引《尚書》皆同。

❷ 同注❶。

另外，對於〈秦誓〉撰著的時間，《史記·秦本紀》則云：

> 三十六年，繆公復益厚孟明等，使將兵伐晉，渡河焚船，大敗晉人，取王官及鄗，以報殽之役。晉人皆城守不敢出，於是繆公乃自茅津渡河，封殽中尸，為發喪，哭之三日，乃誓於軍中曰：「嗟士卒！聽無譁，余誓告汝，古之人謀黃髮番番，則無所過。」以申思不用蹇叔、百里傒之謀，故作此誓，令後世以記余過。君子聞之，皆為垂涕，曰「嗟乎！秦繆公之與人周也，卒得孟明之慶。」❸

魯文公三年（西元前六二四年），殽之役後三年，秦穆公興師伐晉，仍重用三帥，濟黃河，焚舟楫，大敗晉軍，並埋葬殽地戰士之屍，樹立豐表而還，秦遂因而稱霸西戎。

今就〈秦誓〉內容考察，文中所記，秦師戰敗之後，穆公覺悟，自悔「日月逾邁」、「我心之憂」，自悔不聽蹇叔忠告，致鑄大錯，又後悔不敬長者，所以才悔稱「邦之杌棿」、「曰由一人」，以自責備，並希望未來「詢茲萬髮」，才能「則罔所愆」。觀其文義，確是穆公戰爭失敗後悔過自責之意，而非戰爭勝利後鼓舞將士之辭。兩相比較，則〈秦誓〉之作，應在殽之戰後為宜。《史記》所記，似不如《書序》所釋，為得其實。

〈秦誓〉既是穆公於殽地戰敗後的悔過自責之辭，自然是語語出諸於穆公的肺腑之中，由是方能激勵將士們的同仇敵愾之情，上下一心，奮發圖強，才能取得三年後渡河伐晉的勝利，因此，〈秦誓〉中所反映的穆公謙遜悃誠之意，應該是被確認的，但是，後世學者，卻有人對穆公誓言的真誠與用心，持有懷疑的態度。

二、對穆公誓辭用心的懷疑

對〈秦誓〉中穆公悔過自責之用心持懷疑態度者，主要見於明代末年的王夫之，他在所著《尚書引論・秦誓》中云：

〈秦誓〉之言，非穆公之心也。穆公所欲爭衡於晉得志於東方者，夢寐弗忘，則所昧昧以思者，終仡仡之勇夫也。故公孫枝得以終引孟明帥彭衙之師以拜賜。然而姑為〈誓〉以鳴悔者，其是非交戰之頃，心尚有懲，而言軌於正。夫子錄之，錄其言也，

❸ 司馬遷：《史記》，臺北，鼎文書局，民國八十年。

取其乍動之天懷，而勿問其隱情內怍終畔其言之慝，聖人之宏也，夫豈穆公之心哉！❹

王夫之首先認定《秦誓》中悔過自責之辭，並非出諸於穆公的本心，他認為，穆公的本意，只是想要東拓疆土，爭霸諸侯，及至殽地之敗，無所歸咎，只得姑表悔意，以自責罰，因此，王夫之認為，孔子刪《書》之時，認為穆公天機乍動之際，心中深具悔懺，尚不失為軌於正道，故錄取〈秦誓〉，以入《尚書》之中，這是孔子獎掖人們從善自新的仁者德意，但卻並不是秦穆公真正的用心所在。王夫之又云：

（夫秦）乘周之東，竊起而收岐豐之地，間晉之亂，因釁而啟河東之土，……天下不亂，則秦不能東鄉而有為，天下有憂，則秦以投閒而收利，有時坐睨而持天下之長短，有時挑釁而疲天下於奔命，始於秦仲，訖於始皇，幷諸侯，滅宗周，一六合，乃既以陰謀祕計徼利於孤寡惸獨以成其功。

王夫之以為，秦崛起於西陲，乘東周衰弱之際，東向窺伺，利用中原變亂，而行其鯨吞蠶食之計，自始至終，那都是秦國一貫的策略。王夫之又云：

惟恐以其中心之蘊暴著於世，而生人心之怨惡。……故孟明西乞白乙之徒，成不能分功，而敗則為之任過。其始也，固相與屏眾密謀以徼幸於一旦，事之僨裂，乃昌言以斥之眾曰：「仡仡勇夫，我尚不欲，截截善諞言，我皇多有之。」呵斥之如犬馬，蔑夷之如草菅也。……是穆公之誓眾而移罪於三帥者，外以間諸侯之口，內以謝寡妻孤子之痛怨，而非以情也……故夫子錄〈秦誓〉於《書》，為人君得失之衡，抑為人臣死生之紐也。

王夫之以為，戰爭失敗之後，穆公恐其內心之謀，暴露於世，而引致秦民之怨惡，引致諸侯之責難，乃求嫁過於謀臣，移罪三帥，使百里孟明等人，為之分謗任罪，而穆公乃以誓辭，掩飾其假意虛情，故王氏認為，孔子錄〈秦誓〉於《尚書》之中，乃是為了作為後世人君的明鏡，取其「惡可為鑑」之意義，而非「善可為法」之意義。

---

❹ 王夫之：《尚書引論》，臺北，船山學會，民國五十二年。

除了王夫之的看法之外，近代學者唐文治，對於《秦誓》中的穆公之言，也有很負面的評價，他在所撰的《尚書大義》中云：

嗚呼！誠偽之界，一心生死之判，即一國生死之判也。自古迄今，口是心非之禍，豈不烈哉。讀〈秦誓〉之文，穆公固儼然聖賢人也。曰「責人無難，受責惟艱」，所謂躬自厚而薄責於人也。「日月逾邁，若弗云來」，所謂學如不及猶恐失之也。曰「古之謀人，未就予忌」，所謂大有為之君欲有謀焉則就之也。曰「詢茲黃髮，則罔所愆」，所謂雖無老成人尚有典型也。曰「仡仡勇夫，我尚不欲，截截善諞言，我皇多有之」，所謂尚德不尚力尚行不尚言也。至於「昧昧思一介臣」，則明於君子小人之辨，能好人能惡人也。乃考其所為，無一與之相合者，觀於殽師之後，繼以彭衙，彭衙之後，繼以王官，濟河封尸，觀兵耀武，何嘗有絲毫悔過之心哉。詩人之美文王曰，「詒厥孫謀，以燕翼子」，文王之所以詒子孫者，曰道德，曰至誠，故其享天下至八百載之久，穆公之所以詒其子孫者，雖有天下，至二世而滅，其故可知矣。❺

唐氏首先以「誠偽之界」，斷定〈秦誓〉中穆公之誓，是「口是心非」之言，然後論及〈秦誓〉中的誓言，表面上都是正面激勵的善良之辭，但是，考察穆公在諸侯間的屢次用兵，耀武揚威，卻不具有絲毫悔過之心，因此，斷定秦至始皇，雖有天下，卻至二世而亡，並非沒有祖先悖德示範的不良影響存在。唐氏又云：

彼其詐偽狠戾，相習成風，如張儀、如范睢、如商鞅李斯之徒，無非口是而心非者，呂不韋刪拾《春秋》，儼然著作，其所紀〈月令〉曰，「不可以稱兵，稱兵必天殃」，「毋變天之道，毋絕地之理，毋亂人之紀」。及考秦之事實，亦無一與之相合者，詐偽之極。遂至以呂易嬴，始皇出，並舉穆公所謂悔過之書一火而焚之，彼其心，蓋以為祖宗不足法，子孫黎民為不足保，而榮懷之邦，必使之杌隉而底於亡也，豈不哀哉！是故〈駟驖〉、〈車鄰〉、〈小戎〉、「板屋」，民氣非不勇也，「於我乎夏屋渠渠」，禮士非不至也，然而「所謂伊人，在水一方」，「蒹葭」「白露」之中，未嘗無賢人君子，乃「溯洄」之而不肯出者，豈非知機械變詐陰謀詭計之邦，國祚必不能久長哉！

❺ 唐文治：《尚書大義》，臺北，廣文書局，民國五十九年。

唐氏又指出，秦君所用之謀士，如張儀、范雎、商鞅、李斯之流，類皆詐偽狠戾之徒，相習成風，及至呂不韋，以呂易嬴，而始皇一出，焚詩書，坑儒士，雖一統天下，而國祚不能長久。唐氏又云：

> 然而〈大學〉亦採〈秦誓〉，何也？夫〈大學〉固以誠意為本者也，其引〈秦誓〉與〈楚書〉舅犯之言並列，俱不以人廢言爾。嗚呼，人心之漓也，世變之亟也，王霸之升降，如江河之日下也，孔子刪《書》，至〈文侯之命〉、〈秦誓〉二篇，其意蓋明示之曰，如是則盛，如是則衰，如是則強，如是則弱，如是則積弱者猶可以暫存，如是則暴強者必至於終滅，蓋至此而帝王授受之意，蕩焉已至於盡矣，孟子曰：「《詩》亡然後《春秋》作」，至於〈秦誓〉，而《書》亦亡矣，嗚呼！其可痛也已，其可鑑也已。

唐氏又自行設問，何以〈大學〉中也引述〈秦誓〉「若有一介臣」，以及〈楚語〉舅犯「仁親以為寶」之言？主要是不以人廢言的態度，並進而申論，孔子刪《書》，有取於〈秦誓〉，主要也是由於借鏡鑑戒的用意。

《史記・孔子世家》曾記：「孔子之時，周室微而禮樂廢，詩書缺，追跡三代之禮，序《書》傳，上紀唐虞之際，下至秦繆，編次其事。」❻依據太史公的記載，孔子確有編次《尚書》之事，而且，「下至秦繆」，也適與今文《尚書》相符。那麼，《尚書》的編次，既經孔子之手，則孔子有取於〈秦誓〉，其目的，除了〈秦誓〉是周代傳世的文獻之外，孔子的想法，是要用〈秦誓〉作為「善可為法」的正面教材？抑是作為「惡可為鑑」的反面教材？也即是說，在孔子的心目中，秦穆公到底是真心地自罪自責，承擔過錯，激勵秦人？抑或是假意地裝模作樣，推諉過錯，欺愚世人？

以下，即就此一問題，試作討論。

三、對穆公誓辭用心的再考察

㈠從穆公行事態度作考察

❻ 同注❸。

依據《左傳》、《國語》、《史記》的記載，我們考察秦穆公的重要行事：

魯僖公元年（西元前六五九年），秦成公卒，其弟任好立為穆公，穆公用百里傒，國勢漸強，其後，晉獻公時，驪姬作亂，太子申生死，群公子出亡在外。

魯僖公九年（西元前六五一年），秦穆公會齊師納晉公子夷吾，是為晉惠公，穆公夫人為晉惠公姊，乃託獻公之次妃賈君於惠公，並告以盡納群公子，惠公無道，烝於賈君，又不納群公子。

魯僖公十三年（西元前六四七年），晉大饑，乞糴於秦，謀臣或謂不與，且請伐晉，秦穆公曰：「其君是惡，其民何罪？」乃輸粟於晉。運粟船隊，絡繹不絕，人民稱之為「泛舟之役」。

魯僖公十四年（西元前六四六年），秦大饑，乞糴於晉，晉惠公背施而弗與。

魯僖公十五年（西元前六四五年），秦穆公伐晉，秦晉戰於韓原，晉軍大敗，秦虜惠公以歸，秦穆公夫人穆姬脅穆公，攜太子罃、次子弘、女兒簡璧，將自焚，穆公乃釋惠公還晉。是年，晉又大饑，穆公又輸之粟，且曰：「吾怨其君，而矜其民。」

魯僖公二十三年（西元前六三七年），晉公子重耳在外遍歷諸國，至秦。穆公禮之，納女五人，中有懷嬴，次年，秦穆公納重耳於晉，是為晉文公。

魯僖公三十二年（西元前六二八年），晉文公薨，三十三年，秦穆公不聽蹇叔之諫，令百里孟明視、西乞術、白乙丙三人將兵伐晉，晉襄公墨衰絰，發兵禦之，戰於殽，大敗秦兵。故穆公有〈秦誓〉之作。（《史記》則以〈秦誓〉作於三年後秦軍渡河大敗晉軍之役。）

從以上秦穆公的行事看來，晉國之亂，穆公先納惠公，又納文公，而又兩次矜憫晉國民眾，輸晉粟糧，已甚難得，雖然，秦晉之間，仍然有韓原之戰，殽地之戰，以及渡河王官之戰，但是，春秋諸侯，莫不力圖擴充疆域，稱霸列強，而秦穆公之行為，雖非聖智，似已不易。及至穆公之卒，從死者一百七十七人，秦之良臣奄息、仲行、鍼虎，皆在從死之中，三良殉葬，秦人深加哀悼，為之作〈黃鳥〉之詩，所謂「臨其穴，惴惴其慄」者，故君子惜之，以為秦不能更復東征。

(二)從比較五霸行徑作考察

春秋五霸，齊桓公、晉文公、宋襄公、秦穆公、楚莊王。齊桓公最先稱霸，桓公得管仲輔佐，通貨積財，富國強兵，尊王攘夷，北征山戎，九合諸侯，一匡天下，天子賜胙，拜而受之，故孔子稱之，以為「齊桓公正而不譎」[7]，其行徑自是難能而可貴。

---

[7] 《論語·憲問》，臺北，藝文印書館影印阮刻《十三經注疏》本。

晉文公早年出亡在外，遍歷艱辛，經十九年，然後返國，得立為君，乃重用賢臣狐偃、趙衰、先軫等人，力圖振作，舉善授能，出定中原，魯僖公二十八年（西元前六三二年），楚成王帥師入侵宋衛，晉文公親帥戰車七百乘，會同各國之師，拒之於城濮，大敗楚師，威震諸侯，雖孔子稱之為「晉文公譎而不正」❽，自也遠勝列國平庸之君。

魯僖公九年（西元前六五一年），宋桓公卒，次年，宋襄公即位，魯僖公二十年，宋襄公欲合諸侯，魯僖公二十二年（西元前六三八年），宋襄公率師與楚成王戰於泓，司馬請俟楚軍未渡而擊之，襄公不可，又請俟其未陣而擊之，襄公又不可，楚軍既渡而成列，襄公又命不重傷，不擒二毛，然後擊之，宋師大敗。大臣子魚論曰：「君未知戰。」次年，襄公卒，而《公羊傳》論之，以為「臨大事而不忘大禮，雖文王之師，不是過也」，故五霸之中，宋襄公雖欲圖霸，而霸業終未得底於成。

魯文公十三年（西元前六一四年）楚穆王卒，其子侶立，是為莊王，莊王初立，相繼戡平內亂與外患，國力漸強，進而觀兵周室，問鼎輕重，魯宣公十二年（西元前五九七年），楚莊王親率大軍與晉國大將荀林父所率之諸侯聯軍，大戰於邲，晉軍由於將不聽命，主帥指揮失當，為楚軍大敗，楚莊王由是奠定稱霸之基礎。

要之，春秋時代，諸侯力征，開疆闢土，視為當然之事，齊桓晉文，能夠扶持周室，禮敬天子，故其評價，也最尊崇，宋襄公圖霸不成，楚莊王進窺中原，後世評論，自不見佳，秦穆公崛起西陲，東向而視，論其是非，在五霸之中，或者不當處於最劣之等，清人高士奇在所著《左傳紀事本末》之中，稱秦穆公為「春秋之賢諸侯也」❾，或者也不為太過。

㈢從《尚書》篇章內容作考察

今文《尚書》二十八篇，其中多有君王或諸侯表達宣示之言者，以下，即逐篇作一省察，並評論其發言者用心之誠偽情況。

1.〈堯典〉記堯舜為君，設官分職，擇賢任能，治國安民之事，其中如堯既年高，盼求賢人，繼承帝位，大臣分別推薦丹朱及共工，堯皆加以否決，及至大臣推薦虞舜，堯於試用考察之後，方才決定禪位於舜，此處帝堯之言，必不能視其存心為偽。

2.〈皐陶謨〉記皐陶及大禹與帝舜謀議政事，相互問答之辭，其中如皐陶所言之慎修其身，惇敘九族，踐行九德，大禹所言之平治洪水，眾臣弼直，明試眾功，以及帝舜所言之大

---

❽ 同注❼。

❾ 高士奇：《左傳紀事本末》，臺北，里仁書局，民國八十年。

臣作君股肱，作君耳目，以翼助天子等等，此處言語，自不能視之為三人存心作偽。

3.〈禹貢〉記大禹治水，疏導河川，畫分天下為九州，而區分疆域，衡定土壤，確立田賦，記錄貢品等事。篇中未有意見宣示，言語對話。

4.〈甘誓〉記夏君與有扈氏戰於甘地時誓師之辭，其中數說有扈氏之罪狀，如「威侮五行，怠棄三正，天用勦絕其命，今予惟恭行天之罰」，在神權時代，夏君以天命為言，論其用心，也不必即為不誠之意。

5.〈湯誓〉記商湯討伐夏桀王時誓師之辭，其中數說夏桀之罪狀，如「夏王率遏眾力，率割夏邑」，又記百姓怨桀之言，「時日曷喪，予及汝皆亡」，皆可徵之於百姓，商湯也自無存心作偽之可能。

6.〈盤庚〉記殷帝盤庚欲率民眾，自奄渡河，遷都殷地，而民不願往，盤庚乃面見百姓，告以殷之先民，已五易國都，今次遷都，乃不得不然之事，於是勸勉百姓，「今市將試以汝遷，永建乃家」，以至於「無有遠邇，用罪伐厥死，用德彰厥善」，也都是盤庚的真心告白之辭。

7.〈高宗肜日〉記殷帝武丁祭祀商湯之時，有山雉飛至祭鼎之上鳴叫，殷人驚恐，大臣祖己因而發言，說明「惟天監下民，典厥義，降年有永有不永，非天夭民，民中絕命」，說明天命短長，乃人自招之義旨，文中祖己之言，闡釋天道，以勉國人，自無存心作偽之必要。

8.〈西伯戡黎〉記西伯戰勝黎人，大臣祖伊恐西伯坐大，往諫紂王修德之事，而紂王反曰，「嗚呼！我生不有命在天？」自以為天佑其命，不慮其他，考紂王之言，亦出自內心，言雖乖違，並非作偽。

9.〈微子〉記商紂王荒淫無道，微子諫勸之辭，文中如「今殷其淪喪，若涉大水，其無津涯，殷遂喪，至于今」之言，比喻殷商危亡情況，並不算是過甚之辭。

10.〈牧誓〉記周武王大軍伐紂，至牧野而誓師之辭，文中如「今商王受，惟婦言是用，昏棄厥肆祀弗答，昏棄厥遺王父母弟不迪，乃惟四方之多罪逋逃，是崇是長，是信是使，是以為大夫卿士，俾暴虐于百姓，以姦宄于商邑」，都是陳述事實，可徵之於百姓者，自無虛假之可能。

11.〈洪範〉記武王克殷，訪於箕子，箕子為之陳述治國之大法九疇，文中並無意見宣示之言。

12.〈金縢〉記武王有疾，周公祭禱三王，願以身代武王之事，文中周公祝禱之辭，有「以旦代某之身，予仁若考，能多才多藝，能事鬼神」之言，文中又記「王翼日乃瘳」之事，則周公祝禱之言，自係出諸肺腑，無可致疑。

13.〈大誥〉記武王崩，成王年幼，周公攝政，管叔、蔡叔、霍叔與武庚叛亂，周公東征，以成王命發布文告之事，文中多告示友邦君王及大臣，不得不出征三監，以及勗勉百官民眾之言，證以〈金縢〉所記周公東征，三年來歸，成王感悟之事，自不能即指周公或成王有詐偽之心。

14.〈康誥〉記武王封其弟康叔於康，武王崩，周公攝政，以康叔年幼，乃以天子之命，加以申告之辭，文中多告以明德慎罰，任賢愛民之意，言出周公之口，勗勉幼弟，自是勤懇之辭。

15.〈酒誥〉記周公以成王之命，告戒康叔應嚴予戒酒之辭，文中舉商紂王淫泆於酒，終亡其國，以為鑒戒，又告以「群飲，汝勿佚，盡執以歸于周，予其殺」之嚴格取締態度，自是出於真心之告誡。

16.〈梓材〉記周公以成王之命，告戒康叔之辭，文中以「稽田」、「作室家」、「作梓材」三事為喻，以見治國為政，必需全力以赴，造福百姓，然後子孫方能永保社稷之義，自無違心言語之可能。

17.〈召誥〉記周公還政成王，成王新建洛邑，命召公主其事，召公因而告勉成王，以殷紂喪邦為鑑，規勸成王亟敬美德，以永保黎民百姓之大命，面對君王，召公之言，懇切可知。

18.〈洛誥〉記成王復掌國政，周公營建洛邑，成王往觀，並請周公留守洛邑之事，文中記成王與周公誠懇互勉之辭甚多，周公既已歸政成王，君臣二人，自不應有詐偽之存心。

19.〈多士〉記周公營建洛邑，遷殷地遺民居此，周公以成王之命，告示殷之眾臣，並警惕殷之多士，「爾克敬，天惟畀矜爾，爾不克敬，爾不啻不有爾土，予亦致天之罰于爾躬」，則周公警告殷民之言，自是直陳其意，無需詐偽。

20.〈無逸〉記周公告戒成王，勿耽於逸樂，而荒棄國政之事，文中勗勉成王，先知稼穡之艱難，則可知小民之隱痛，正是期盼成王了解民間疾苦，則周公之言，豈可言不由衷。

21.〈君奭〉記周公告召公，共勉輔弼成王之事，文中周公歷數殷之賢臣，周之賢臣，皆能相輔為政，共謀國是，因而勗勉召公，輔相成王，共體天命，則周公之辭，設若言不由衷，又焉能感動召公？

22.〈多方〉記周公以成王之命，告勉東方諸國之事，文中先述夏桀商紂，暴虐亡國之例，然後勗勉諸國遺民，恪遵天命，永居洛邑，勿違王事，此則周公對殷之遺民，恩威並施之言。

23.〈立政〉記周公告成王設官分職之事，文中先述夏桀商紂，所任非人，再述文王武王，立民官長，咸稱有德，故能受此丕基，進而勗勉成王，任用吉士，以輔相國政，故周公所陳，自是出諸肺腑之言。

24.〈顧命〉記成王將崩，乃命召公畢公率群臣輔相康王之事，文中記成王臨終之言，自無虛假存心之慮。

25.〈呂刑〉記周穆王告命呂侯，令其慎守五刑，折獄惟中，哀敬以對，無縱無妄之事，穆王之言，既論刑罰，則句句精確，並無用心不實之處。

26.〈文侯之命〉記周幽王被弒，晉文侯助平王定亂，平王賜予車馬弓矢，以為表揚之事，文中平王感念文侯，語多勗勉，自是由衷之言。

27.〈費誓〉記魯僖公出征淮夷徐戎時誓師之辭，文中以申明軍律為主，戒訓士卒，自無虛假之意。

28.〈秦誓〉記秦穆公喪師後告語群臣之事，文中語多追悔自責之意。

《尚書》之中，有天子之辭，有諸侯之辭，也有大臣之辭，〈秦誓〉中所記秦穆公的誓眾之辭，到底是出之於穆公的真心悔過？抑或是穆公的假意欺世？固然可以從〈秦誓〉篇中的文義去作考察，也更應該從《尚書》中其他篇章去作全面的考察，方能更易使得真相呈現。

在此節之中，我們考察了今文《尚書》的其他篇章，發現其他二十七篇篇章之中，雖然也有不少「對話」、「宣示」的言辭，但卻並未發現其中君王、諸侯、大臣的言辭，是言不由衷的作偽之辭。

《尚書》的編定，如果不出於孔子之手，則〈秦誓〉只是一篇東周時代的歷史文獻，經人編入《尚書》之中，作為了解史事的文獻史料，自然也不涉及篇中主人用心誠偽的問題。《尚書》如果確曾經由孔子刪定，則〈秦誓〉一篇，所記穆公之言，也應與其他二十七篇篇中主人一樣，發言皆當言必由衷，故孔子方取以為「善可為法」的正面教材，欲後世君王悔過自責者效之，如此，也與《尚書》全書君王宣示之言皆懇切為之者一律，這樣，也才解決了〈大學〉中引述〈秦誓〉之言的疑慮。

四、結　語

要之，經過本文此節分別從三個方面加以考察之後，我們覺得，在〈秦誓〉中所記載的穆公之言，論其動機，應該並無轉移世人責備以及諉過大臣的意圖存在。

在〈秦誓〉中，如果秦穆公的誓辭，並無轉移世人責備以及諉過大臣的意圖，那麼，王夫之與唐文治兩位大儒，又何以認定〈秦誓〉中的悔過自責之辭，並非出諸於穆公的本心，而對穆公作「誅心」之論呢！

顧亭林在《日知錄》卷二〈秦誓〉條中云：

> 有〈秦誓〉故列〈秦誓〉，有秦詩故錄秦詩，述而不作也。謂夫子逆知天下之將并于秦而存之者（邵子說），小之乎知聖人矣！秦穆公之盛，僅霸西戎，未嘗為中國盟主。無論齊桓晉文，即亦不敢望楚之靈王，吳之夫差，合諸侯而制天下之柄。春秋以後，秦蓋中衰。吳淵穎（萊）曰，秦之興，始于孝公之用商鞅，成于惠王之取巴蜀。蠶食六國，併吞二國，戰國之秦也，非春秋之秦也。其去夫子之卒也久矣。（自獲麟之歲以至始皇滅六國併天下，二百六十年。）夫子惡知周之必併于秦哉？若所云後世男子自稱，秦始皇入我房，顛倒我衣裳，至沙丘而亡者，近于圖澄寶誌之流，非所以言孔子矣。
>
> 〈甘誓〉，天子之事也，〈胤征〉，諸侯之事也，並存之，見諸侯之事，可以繼天子也。〈費誓〉、〈秦誓〉之存，猶是也。[10]

亭林先生以為，因東周已有〈秦誓〉傳世，故孔子刪《書》，乃收錄〈秦誓〉，也如同因東周已有秦詩傳世，故孔子刪《詩》，也收錄〈秦風〉，那只是孔子「述而不作」的一貫態度而已。亭林先生又以為，春秋之際，秦穆公僅能稱霸西戎而已，並不足以為中原盟主，春秋後期，秦勢已衰，及至秦孝公用商鞅，逐漸富國強兵，已在韓趙魏三家分晉之後，已經入於戰國時代，及秦至始皇，併吞六國，一統天下，已在孔子之卒二百餘年以後，孔子雖為哲人，並不能預知後世春秋之轉為戰國，六國之合併於強秦，孔子既然無法預知秦始皇之焚書坑儒，殘暴無道，則又如何能夠預知始皇之惡，二世而亡，因而歸罪其先祖穆公之詐偽成性，有以導夫其前，因而於刪定《尚書》之際，收錄〈秦誓〉，而為之「明示之曰」，「如是則暴強者必至於終滅」呢？⓫

要之，本文考察之餘，可得結語如下：

1.春秋之際，富國強兵，闢疆拓土，本係五霸及諸侯之自然行為。

2.春秋諸侯，不必皆為聖人，攻伐戰爭，時或有之，取之有道，已不失為豪傑，如能兼

---

❿ 顧亭林：《原抄本日知錄》，臺北，文史哲出版社，民國六十八年。

⓫ 邵雍：《皇極經世》卷五〈觀物篇〉內篇之六云：「秦始盛於穆公，中於孝公，終於始皇，……其祚之不永，得非用法太酷，殺人太多乎，所以仲尼序《書》，終於〈秦誓〉，一示其指，不亦遠乎！」

顧善行嘉德，更屬不易。

3.〈秦誓〉所記，穆公悔過自責之辭，應為其「乍動之天懷」，由衷之言語，真情之告白，而非其「移罪於三帥」之偽情，故夫子錄之於《尚書》之中，以勸勉諸侯，若求回歸歷史之真相，則亭林先生所論，則似最能得其平允之情。

附記：

一、友人蔡信發教授有〈尚書秦誓辨〉一文，載《幼獅學誌》十五卷四期（民國六十八年十二月），以為〈秦誓〉有誓體之名，無誓體之實，宜仿〈盤庚〉、〈微子〉之命篇，稱為〈秦公〉。友人許錟輝教授有〈誓以訓戒辨〉一文，載《中國學術年刊》第十期（民國七十八年），以為「誓」辭之用，有「訓戒」、「禱神」、「誡政」三項功能。並可資參考。

二、王雷生撰〈秦穆公論述〉一文，載《敦煌學輯刊》一九九八年二期，分析秦穆公有六項改革措施。賈俊俠撰〈秦誓史料的可信性及價值新論〉一文，載《唐都學刊》二〇〇一年四期，確定〈秦誓〉史料的可信性。二文承友人陳金木教授檢示，謹此致謝。

參、邵懿辰「〈禮運〉首段有錯簡說」駁議

一、引言

〈禮運〉是今本小戴《禮記》四十九篇中的一篇，在古代，它不像〈大學〉、〈中庸〉一樣，受到世人的重視❶，但是，到了近代，由於康有為將〈禮運〉篇中「大同」、「小康」的思想，與《公羊傳》中「三世」的思想，配合而成為「進化」的學說，以作為他變法

❶《隋書·經籍志》記載，梁武帝蕭衍已有《中庸講疏》，戴顒已有《中庸傳》，是〈中庸〉早已單篇別行於世。及至唐代，韓愈撰〈原道〉，表彰〈大學〉、《孟子》，至於宋代，朱熹遂取《論語》、〈大學〉、〈中庸〉、《孟子》，合為《四書》，以代表孔子、曾子、子思、孟子一脈相承之道統，從此士林學子，莫不誦習，自元代以下，並列為朝廷科考舉士之所本。

維新的理論基礎，再加上孫中山先生強調了〈禮運〉篇中「天下為公」的思想，〈禮運〉篇才成為世人特別重視的篇章。

清代的邵懿辰（一八一〇—一八六一），精研禮學[2]，在他所撰著的《禮經通論》之中，有一篇〈論禮運首段有錯簡〉的文章，在該文中，邵氏提道：「〈禮運〉一篇，先儒每歎其言之精，而不甚表章者，以不知首章有錯簡，而疑其發端，近乎老氏之意也，今以禹湯文武成王周公，由此其選也，此六君子者，未有不謹於禮者也，二十六字，移置不必為己之下，是故謀閉而不興之上，則文順而意亦無病矣」[3]。邵氏的時代，在康有為與中山先生之前，所以他說〈禮運〉不為先儒所著意表章，而其原因，則是由於〈禮運〉篇首段文字有錯簡，如果將〈禮運〉首段較後的二十六字，移置到前文之中，消除其錯簡的現象，則〈禮運〉篇首段，不但「文順」，而且，「意亦無病矣」。因此，依照邵氏的說法，〈禮運〉篇首段的文字，便可出現與原本〈禮運〉不同的另外一種章句版本，今試將兩種章句列之如下，以便於考察。

甲本（《禮記·禮運》原文）

昔者，仲尼與於蜡賓，事畢，出遊於觀之上，喟然而嘆，仲尼之嘆，蓋嘆魯也，言偃在側，曰：「君子可嘆？」孔子曰：「大道之行也，與三代之英，丘未之逮也，而有志焉。大道之行也，天下為公，選賢與能，講信修睦，故人不獨親其親，不獨子其子，使老有所終，壯有所用，幼有所長，矜寡孤獨廢疾者皆有所養，男有分，女有歸，貨惡其棄於地也，不必藏於己，力惡其不出於身也，不必為己，是故謀閉而不興，盜竊亂賊而不作，故外戶而不閉，是謂大同。

今大道既隱，天下為家，各親其親，各子其子，貨力為己，大人世及以為禮，城郭溝池以為固，禮義以為紀，以正君臣，以篤父子，以睦兄弟，以和夫婦，以設制度，以立田里，以賢勇知，以功為己，故謀用是作而兵由此起，禹湯文武成王周公，由此其選也，此六君子者，未有不謹於禮者也，以著其義，以考其信，著有過，刑仁講讓，示民有常，如有不如此者，在勢者去，眾以為殃，是謂小康。」❹

❷ 邵懿辰字位西，浙江仁和人，生於清嘉慶元年，卒於咸豐十一年，享年五十二歲，邵氏於道光年中舉，官至刑部員外郎，咸豐十一年冬，髮匪陷杭州，邵氏罵賊而死，著有《禮經通論》、《尚書通義》、《四庫簡明目錄標注》等書。

❸ 邵懿辰：《禮經通論》，《續皇清經解》本，下引並同。

❹ 《禮記・禮運》，臺北，藝文印書館影印阮刻《十三經注疏》本，下引並同。

乙本（據邵懿辰之說校改）

昔者，仲尼與於蜡賓，事畢，出遊於觀之上，喟然而嘆，仲尼之嘆，蓋嘆魯也，言偃在側，曰：「君子何嘆？」孔子曰：「大道之行也，與三代之英，丘未之逮也，而有志焉。大道之行也，天下為公，選賢與能，講信修睦，故人不獨親其親，不獨子其子，使老有所終，壯有所用，幼有所長，矜寡孤獨廢疾者皆有所養，男有分，女有歸，貨惡其棄於地也，不必藏於己，力惡其不出於身也，不必為己，禹湯文武成王周公，由此其選也，此六君子者，未有不謹於禮者也，是故謀閉而不興，盜竊亂賊而不作，故外戶而不閉，是謂大同。　今大道既隱，天下為家，各親其親，各子其子，貨力為己，大人世及以為禮，城郭溝池以為固，禮義以為紀，以正君臣，以篤父子，以睦兄弟，以和夫婦，以設制度，以立田里，以賢勇知，以功為己，故謀用是作，而兵由此起，以著其義，以考其信，著有過，刑仁講讓，示民有常，如有不由此者，在勢者去，眾以為殃，是謂小康。」

邵懿辰將〈禮運〉篇首段中的二十六字，由原來經文中「小康」一節，移往經文中的「大同」節內，以為是恢復了經文的原貌。其經文的移易，不僅是影響到〈禮運〉篇文句的貫聯，也更影響到〈禮運〉篇經文義旨的不同。

邵氏〈論禮運首段有錯簡〉一文以為，「先儒泥一與字，以大道之行屬大同，三代之英屬小康」，因此，邵氏移校後的章句，與原來經文的章句，最基本的不同，在於經文原來的義旨，是以「大道之行」屬「大同」，「三代之英」屬「小康」，分指二事，而經邵氏校訂後的義旨，是以「大道之行」與「三代之英」，均指一事，皆屬「大同」之境域。

因此，〈禮運〉篇章句義旨的差異，前文所分列的「甲本」與「乙本」的不同，主要的關鍵，即在於「大道之行」，「三代之英」，到底是分指「大同」、「小康」兩個不同的時代，抑或是指相同的一個「大同」時代？

以下，即先就經典原文（甲本），與邵氏校文（乙本），比較其義旨，然後，再專就邵氏校訂經文（乙本）之證據，駁正其理由。

二、比較經典原文與邵氏校文之是非

以下，比較〈禮運〉篇的經典原文，與邵懿辰所校改的另種版本，主要是集中在〈禮運〉篇的首段文字，為了討論的方便，以下，我們將「昔者，仲尼與於蜡賓」至「是謂小康」，全部稱為〈禮運〉篇的首段，而將「昔者，仲尼與於蜡賓」至「是謂大同」，稱為第一節，將「今大道既隱」至「是謂小康」，稱為第二節。

(一)從歷史人物作考察

邵懿辰在〈論禮運首段有錯簡〉一文中，所以要用校勘的方式，將〈禮運〉篇首段中的二十六字，由第二節改移至第一節中，推其用意，主要是由於，他認為禹湯文武成王周公，此六君子，置於第二節中，作為「小康」時代的代表人物，太過委屈，並不適宜，因而將他們移至第一節中，希望是作為「大同」時代的代表人物。針對此點，我們先作考察。

1.禹湯文武成王周公，作為是夏商周時代的「三代之英」，本無問題，但是，「此六君子」，如果將他們視之為是「大道之行」時代的代表人物，是否也能適合呢？那就需要仔細考慮了。首先，禹湯文武成王周公，是否就是孔子心目中最為理想的聖賢代表？如果是的，那麼，〈中庸〉篇中提到「仲尼祖述堯舜，憲章文武」，在文王武王之上，還有唐堯虞舜，又作何解？而且，〈禮運〉篇首段第一節中提到，「大道之行也，天下為公，選賢與能」，也只有堯舜的禪讓，才當得起「天下為公，選賢與能」那八個字，而禹湯文武成王的傳子而不傳賢，卻都當不起那八個字，因此，強以第二節中的「六君子」，改入第一節中，使禹湯文武成王周公都成為「大同」時代的代表人物，恐怕就不甚妥當了。同時，如果將禹湯武成王周公六人指以為是「大同」時代的代表人物，那麼《尚書．堯典》和《史記．五帝本紀》中提到堯舜禪讓的史事，與〈禮運〉篇中「天下為公」的理想境界，又如何交待？如此一來，勢必使得古代的信史，為之腰斬。

2.自從〈中庸〉中紀錄了孔子所說的「祖述堯舜，憲章文武」，《孟子》書中也不止一次地紀錄了孟子有關「堯舜禹湯文武周公孔子」的言論❺，其後，唐代韓愈在〈原道〉一文中，提出了「堯以是傳之舜，舜以是傳之禹，禹以是傳之湯，湯以是傳之文武周公，文武周公傳之孔子，孔子傳之孟軻」的傳道之說❻，到了宋儒，演之為道統之論❼，以至孫中山先

---

❺《孟子．滕文公下》云：「天下之生久矣，一治一亂。」又云：「堯舜既沒，聖人之道衰。」又云：「昔者禹抑洪水，而天下平，周公兼夷狄，驅猛獸，而百姓寧，孔子成《春秋》，而亂臣賊子懼。」已有古聖相傳之概念。《孟子．盡心下》也提出「五百年必有王者興」的說法，而指出了由堯舜至湯，由湯至文王，由文王至孔子，皆五百有餘歲，此說亦有明顯的道統觀點。

❻韓愈：〈原道〉，載馬其昶：《韓昌黎文集校注》卷一，臺北，世界書局，民國五十六年五月。

❼朱熹：〈中庸章句序〉云：「蓋自上古聖神，繼天立極，而道統之傳，有自來矣。」又云：「夫堯、舜、禹，天下之大聖也。」又云：「若成、湯、文、武之為君，皐陶、伊、傅、周、召之為臣，既皆以此而接夫道統之傳。」則明確地提出了「道統」之說。

生在也曾提到他的思想基礎，有源自古代道統的說法[8]，因此，從孟子到韓愈，到程子、朱子，到中山先生，他們對於古代聖賢的看法，不但受到〈禮運〉的影響，同時也更是受到《尚書·堯典》，以及孔子、孟子思想觀點的影響，因此，從評價歷史人物而言，捨棄堯舜，直接從禹湯文武成王周公論列，便值得疑慮了。

要之，即使〈禮運〉篇中不曾明確地提到堯舜的名字，卻也不能否認孔子心目中沒有比「傳子」更加理想的「禪讓」層次，因此，邵氏校移那二十六個字，希望「三代之英」的「六君子」，同時也掛上「大道之行」的招牌，就十分勉強了。

(二)從思想境域作考察

邵懿辰在〈論禮運首段有錯簡〉一文中說道：「〈禮運〉一篇，先儒每歎其言之精，而不甚表章者，以不知首章有錯簡，而疑其發端，近乎老氏之意也。」說先儒懷疑〈禮運〉開端有近於老子之意，應該是指「大道之行」，以至於「謀閉而不興，盜竊亂賊而不作，故外戶而不閉」，那幾句所代表的理想的政治境域，與《老子》書中所說的「太上，不知有之」(十七章)、「希言自然」(二十三章)、「無為而無不為」(四十八章)、「我無為而民自化」(五十七章)、「小國寡民」、「甘其食，美其服，安其居，樂其俗，鄰國相望，雞犬之聲相聞，民至老死不相往來」（八十章）所顯示的政治境域，有相似之處。針對此點，我們再作考察。

1.在儒家的政治理論中，並不是沒有與〈禮運〉篇首段第一節中所敘述的理想政治，有相符相近的地方，像《論語・為政》中所記孔子之言：「為政以德，譬如北辰，居其所而眾星共之。」朱子《集注》引程子之解便說：「為政以德，然後無為。」又如《論語・為政》中所記孔子之言：「道之以政，齊之以刑，民免而無恥。道之以德，齊之以禮，有恥且格。」朱子《集注》說：「德禮，則所以出治之本，而德又禮之本也。」因此，《論語》所載孔子兩次之言，都強調了「德治」的理想，至少是以「禮」輔「德」的理想，因此，推行德治，使民眾「自然向化」，並不是道家的專利。

2.回到〈禮運〉篇首段來看，經典原文（甲本）第一節所敘「大道之行」的「大同」境域，從「天下為公」一直到「故外戶而不閉」，確實是一種使得人民「自然向化」的「德治」境域。另外，第二節所敘「大道既隱」之後的「小康」境界，從「天下為家」一直到

❽ 孫中山先生民國十年在桂林回答第三國際代表馬林（Maring）之問曾云：「中國有一個道統，堯、舜、禹、湯、文、武、周公、孔子，相繼不絕，我的思想基礎，即承此道統而發揚光大耳。」見黨史會：《國父年譜》頁八〇〇，民國五十四年十一月。

「如有不由此者，在勢者去，眾以為殃」，則確實是一種使人民

「禮義以為紀」的「禮治」思想。

因此，在「大同」的境域中，人民自然向化，自然知禮行禮，不需強調「禮」字。而在「小康」的境域中，人民受到在上位者力量的推動，使之知禮行禮，故需強調「禮」字。就「禮」的施行而言，在「大同」時代，是「安而行之」，在「小康」時代，是「勉強而行之」，兩者有其層次上的差別。所以，在「小康」的境域中，「禹湯文武成王周公，由此其選也，此六君子者，未有不謹於禮者也」，因為在「小康」的境域中，必需用「禮」，而六君子，都謹於用禮，所以，他們才是「由此其選」的「三代之英」。

反之，如果我們採取邵懿辰的校訂意見（乙本），將〈禮運〉首段第二節中的那二十六字，改移於第一節之中，那麼，「謹於禮」的六君子，在「大道之行」的「大同」境域之中，豈不是英雄無用武之地？而且，強調「禮」的「三代之英」，就是「大道之行」時代的最高施政理想，那麼，「大同」的境域理想，層次也未免太低。而「六君子」的行事，又何解於「天下為公，選賢與能」的理想呢？

3.〈禮運〉篇首段第二節中，由於已經是「大道既隱」的情況，如果要使得君臣能正，父子能篤，兄弟能睦，夫妻能和，制度能設，田里能立，勇知能賢，使立功而不為己，則必

需在位之施政者，「禮義以為紀」，特別強調禮儀典制的重要，則雖不能到達「大同」的理想境域，而卻可以達至「小康」的境域。在「小康」的境域中，六君子最擅施用禮制，所以才是其中的特選人物，才當得起才是「三代之英」的稱呼，同時，「大人世及以為禮」，卻正是禹湯文武成王所施行的禮制，因此，在此第二節中，那二十六字，又如何可以移往第一節中去呢？

王夢鷗教授曾撰有〈禮運考〉一文❾，他也以為，邵氏移易那二十六字，欲使六君子得躋于大同之境，純出於不必要的偏見，因前文既分別言及「大道之行」與「三代之英」，此「六君子」正是三代之「英」，特因其能「謹於禮」，故猶不失小康之世，至於後代，則並「小康」亦失之矣。他的意見，極為正確。

㈢從文章結構作考察

文章表達思想，文章如果有謹嚴的結構，思想表達才能更具系統，邵懿辰在〈論禮運首段有錯簡〉一文中也提到，只要校移那二十六字，「則文順而意亦無病」，文從才能意順，

❾ 王夢鷗：〈禮運考〉，載《國立政治大學學報》八期，民國五十二年十二月。

也是從文章結構方面去作設想的，以下，我們便從這一方面，再作考察。

1.先從邵氏校文（乙本）說起，邵氏文中以為，「先儒泥一與字，以大道之行屬大同，三代之英屬小康，不知大道之行，概指其治功之盛，三代之英，切指其治世之人，與字止一意，無兩意」，邵氏就是認為「與」字上文「大道之行」，下文「三代之英」，所表示的，只是一意，基於此，他才將〈禮運〉篇首段第二節中的那二十六字，校移在第一節中，俾能達到禹湯文武成王周公，既是「三代之英」，也是「大道之行」的代表人物，同時也達到第一節中文字全說「大同」，第二節中文字全說「小康」，段落分明，截然區隔的目的。

2.再從經典原文（甲本）考察，首先，古人行文，段落區分，不如後人行文一般，段落分別列出，但是，古人今人行文，不論文章段落是否分別列出，而意義仍然需要貫串。就（甲本）而言，在第一節中，「大道之行也，與三代之英」，孔子之言，本意即在提出「大道之行」、「三代之英」，兩個時代境域，作為總綱，此一總綱，一直貫串到第二節之末的「是謂小康」，全部首段，皆貫作一體，然後在總綱之下，分別敘說，自「大道之行也，天下為公」，直至「是謂大同」，為第一節，自「今大道既隱，天下為家」，直至「是謂小康」，為第二節，兩節所論，承接總綱，分別敘述「大同」及「小康」兩種不同的境域。如此，第二節中的那二十六字，不必校移，仍然是文從字順，分別表述，即就文章結構而言，也極妥當。

3.經典原文（甲本）第一節中提到，「是故謀閉而不興，盜竊亂賊而不作」，句中「是故」，乃承上啟下之詞，「是故」二字以上，從「天下為公，選賢與能」到「不必為己」，是言其因，有此原因在前，下文乃承接而曰，「是故謀閉而不興，盜竊亂賊而不作」，「是故」以下二句，是言其果。因果之間，用「是故」作連接，為承上啟下之詞。反之，如果依照邵氏的意見，將第二節中那二十六字，移至第一節「不必為己」之下，則「此六君子者，未有不謹於禮者也」，不僅其中「禮」字，前無所承（因為在言「大同」的第一節中，原本並未出現「禮」字），而且，「是故謀閉而不興，盜竊亂賊而不作」，此兩句，作為第一節之果，而其結果所由來的原因，卻是六君子的「謹於禮」，那麼，其原因與「天下為公」至「不必為己」的一連敘說，則是毫無關係，成為不具用意的詞句。經典行文，意義貫串，豈能如此！苟如此，則邵氏的校移那二十六字，顧得了小處，卻遺忘了大處，文義更欠貫串。

4.〈禮運〉篇首段第二節中，因為是「大道既隱」之後，「天下為家」的情境，為了避免「謀用是作，而兵由此起」，在位者必需加強禮制的推行，第二節中先言「禮義以為紀」，然後言六君子「未有不謹於禮者」，文章結構，文義前後，正相承接，故第二節中，多言禮，文字章句，多緊扣「禮」字而言，「小康」一義，全由「禮」字貫串。反之，如果依照邵氏的意見，將第二節的那二十六字，移往第一節中，則第二節中，「故謀用是作，而兵由此起」之下，立即承接「以著其義，以考其信，著有過，刑仁講讓，示民有常」，中間缺少了「禮」的功能，那麼，從上下文的結構銜接來看，不免使人懷疑，既已「謀用是作」，「兵由此起」，社會上已經充滿了陰謀詭詐，窮兵黷武的混亂情況，又如何能夠緊接著立刻就達到「以著其義，以考其信」的良好規模、淳善風俗的地步呢？

㈣從〈禮運〉全篇作考察

在本文前述的討論中，主要集中在〈禮運〉篇首段內容作考察，以下，我們則將考察的範圍，擴大至於〈禮運〉的全篇之內。

1.〈禮運〉首段，包含「大同」、「小康」兩節，在首段之後，〈禮運〉還繼續有不少段落的敘述，這些敘述，都集中在言「禮」的部分，在文義的結構上，也直接承接「小康」而言。（「大同」境域，人民因自然知禮行禮，故文中不需強調「禮」。）例如記孔子所言，「夫禮，先王以承天之道，以治人之情」，又言「是故禮者，君之大柄也，所以別嫌明微，儐鬼神，考制度，別仁義，所以治政安君也」，又言「故禮義也者，人之大端也，所以講信修睦而固人之肌膚之會，筋骸之束也，所以養生送死事鬼神之大端也，所以達天道人情之大竇也，故唯聖人為知禮之不可以已也」，以上所引述者，都集中在「禮」之應用功能方面，都是針對「小康」的境域而論述者。

2.在〈禮運〉篇首段之後的敘述，不但集中在言「禮」的重要性，而且，也常常將「禮」與「君」與「聖人」與「先王」相貫聯在一起，例如記載孔子所言，「故政者君之所以藏身也」，「故聖人所以治人七情，修十義，講信修睦，尚辭讓，去爭奪，舍禮，何以治之」，「故唯聖人為知禮之不可已也」，「先王能修禮以達義，體信以達順，故此順之實也」，因此，從〈禮運〉全篇作考察，孔子對於禹湯文武成王周公等「三代之英」的「六君子」，並無貶辭，故於「小康」的境域中，也以之為「聖人」、「先王」的代表。

3.〈禮運〉篇首段之後，多敘述「小康」境域之「禮」，但是，也曾敘述了孔子對於「三代」典禮的觀感，例如記孔子之言曰：「我欲觀夏道，是故之杞，而不足徵也，吾得夏時焉。我欲觀殷道，是故之宋，而不足徵也，吾得坤乾焉，坤乾之義，夏時之等，吾以是觀之。」言孔子亟欲觀三代之禮，但杞國與宋國，雖為夏商之後，而其於夏商之禮，因年代久遠，已無法詳知。〈禮運〉又記孔子之言曰：「於呼哀哉！我觀周道，幽厲傷之，吾舍魯何適矣！魯之郊禘，非禮也，周公其衰矣！杞之郊也，禹也，宋之郊也，契也，是天子之事守也，故天子祭天地，諸侯祭社稷，祝嘏莫敢易其常古，是謂大假。」孔子身處周代末年，見周代禮制，自周幽王周厲王開始，禮壞樂崩，同時，孔子更見到夏後之杞，殷後之宋，也不遵禮制，妄行天子郊褅祭天祭祖之事，故孔子為之深切嘆息，孔子又想到，魯為周公始封之地，周禮或有存於魯者，因而前往魯國，欲觀周禮，卻同樣遭到極大的失望，故孔子更加傷心，而嘆息「周公其衰矣」。孔子居周之末年，當周之衰季[illegible]，其時不但不及「大同」之境域，連「小康」之境域，「三代之英」的典禮，也不及躬逢，故孔子之所處之時代，已在周之「小康」之外，實僅「據亂」之世而已[15]，孔子身處亂世，故其對於「大同」、「小康」之境域，皆不禁發為企望之情，故於〈禮運〉篇首段之中，特別強調，「大道之行也，與三代之英，丘未之逮也」。

以上所論，乃就〈禮運〉篇之經典原文，與邵氏加以校移後之文字，進行多方面之比較，以見二者之孰是與孰非。

三、對邵氏校移經文證據之駁正

邵懿辰在〈論禮運首段有錯簡〉一文中，將〈禮運〉篇首段第二節中之二十六字，移往第一節中，他校移經文的依據，在「本篇有六證」，在「他篇又得二證」，今將邵氏的證據，逐條列出於下，分別如以討論辯駁。

1.邵懿辰〈論禮運首段有錯簡〉曰：

先儒泥一「與」字，以「大道之行」屬「大同」，「三代之英」屬「小康」，不知「大道之行」，概指其治功之盛，「三代之英」，切指其治世之人，「與」字止一意，無兩意，而下句有志未逮，正謂徒想望焉，而莫能躬逢其盛也，否則有志未逮，當作何解？證一也。

今案邵氏之意，以為「大道之行」，「三代之英」，同指一個時代，上句指事，下句指人，

---

⑩ 春秋始於周平王四十九年，終於周敬王三十九年，當西元前七二二年至西元前四八一年。孔子生於周靈王二十一年，卒於周敬王四十一年，當西元前五五一年至西元前四七九年，故已至春秋晚期。

⑪ 春秋公羊家解釋《春秋》，有「三世進化」之說，起於何休解隱公元年《公羊傳》之「所見異辭，所聞異辭，所傳聞異辭」，以為春秋十二公，隱、桓、莊、閔、僖，為孔子得知於傳聞者，是為衰亂之世。文、宣、成、襄，為孔子得知於所聞者，是為升平之世。昭、定、哀，為孔子得知於所及見者，是為太平之世。至於清末，康有為遂據之而言據亂、升平、太平三世，當愈改而愈進化，並參以〈禮運〉之「大同」、「小康」，以為論說。

故「六君子」，即是「大道之行」的代表人物，不必更上求堯舜，邵氏認為，如不合「大道」與「三代」為同一時代，則孔子言「丘未之逮」，孔子為周代人，而言未及逮周，則義不可解。不知孔子但言己身不及逮「大道之行」，不及逮「三代之英」，不及見「六君子」，而非謂己身不及逮周也。

2.邵懿辰〈論禮運首段有錯簡〉曰：

> 今大道既隱，以周為今，猶可，以夏商為今，可乎！既曰未逮，又曰今，自相矛盾，證二也。

今案「古」之與「今」，為相對之詞，段玉裁注《說文解字》曰：「古今無定時，周為古，則漢為今，漢為古，則晉宋為今。」⓬由此而言，〈禮運〉以「古」指「大道之行」，以「今」指「大道既隱」之「三代」，三代已屬「大道既隱」之「小康」時代，故「六君子」為「三代」中之精「英」。孔子為魯人，處於周之末年，「蓋嘆魯也」，則是求「小康」也不可得，借《公羊》家之言，即處於「據亂世」中，孔子處於周末，言周為「今」，夏商為「古」，可，孔子若泛言三代為「今」，言堯舜之時為「古」，以「大道之行」與「大道既隱」，分指「古」與「今」，又有何不可？

3.邵懿辰〈論禮運首段有錯簡〉曰：

> 禮為忠信之薄，則子游宜舉大道為問，而曰「如此乎禮之急也」，不承「大同」，而偏重「小康」，則文義不屬，證三也。

今案《老子》第三十八章曰：「失道而後德，失德而後仁，失仁而後義，失義而後禮，夫禮者，忠信之薄，而亂之首。」道家以道德為尚，故不看重禮，而儒家則特為重視禮，〈禮運〉篇首段，於「小康」重禮之後，接以「言偃復問曰，如此乎禮之急也」，正承上文「小康」時代重禮，故言偃亟於以禮為問，其下孔子之答，皆特重言禮，文正相承，且前文孔子已言，「今大道既隱」，已入「小康」，言偃何必又再問「大道」、「大同」。

4.邵懿辰〈論禮運首段有錯簡〉曰：

---

⑫ 段玉裁：《說文解字注》頁九十四，「誼」篆下注語，臺北，藝文印書館影印經韻樓刊本，民國四十七年。下引並同。

講信修睦，後文三見，皆指聖人先王，而非遠古，果有重五帝薄三王之意，後文何無一言相應乎？證四也。

今案「講信修睦，後文三見」，其一曰，「講信修睦，謂之人利，爭奪相殺，謂之人患」，其二曰，「講信修睦，尚辭讓，去爭奪，舍禮何以治之」，其三曰，「故禮義也者，人之大端也，所以講信修睦，而固人之肌膚筋骨之束也，所以養生送死事鬼神之大端也，所以達天道順人情之大竇也」，此三者，皆就「禮」而言，「皆指聖人先王，而非遠古」，邵氏此數言不誤。其實，「大同」與「小康」境域，人民皆需有「講信修睦」之行為，「講信修睦」四字，在「大同」境域，指其自然而行（安而行之），在「小康」境域，指其以禮推之而行（勉強而行之），不能指「大同」境域中，人民即不需要「講信修睦」之行為，也不能因「小康」境域中出現三次「講信修睦」，即因此指其境域等同於「大同」之境。至於「聖人」、「先王」之稱，則是緊扣「三代之英」而言，禹湯文武成王周公之為「聖人」之為「先王」，出於孔子之口，孔子對「六君子」稱頌不絕，並未嘗加以貶抑。

5.邵懿辰〈論禮運首段有錯簡〉曰：

五帝官天下，三王家天下，本戰國時道家之說，而漢人重黃老者述之，實則五帝不皆與賢，堯舜以前，皆與子也，天下為公，即後文所謂以天下為一家，中國為一人者。不獨親其親子其子，謂老吾老以及人之老，幼吾幼以及人之幼，老有所終，以下六句，皆人情之所欲，即人情以為田，而大同即大順也。天下為家，則指東遷以後，政教號令不行於天下，國異政而家殊俗，並無與子與賢之意。選賢與能，對世及而言，世及者，若《春秋》譏世卿，雖有聖人，無自進身，異於周初建官惟賢位事惟能耳，證五也。

今案《尚書．堯典》已記述堯舜禪讓之事，《史記．五帝本紀》也從而記述，不能謂非信史，即令「堯舜以前皆與子」，也不妨礙堯舜傳賢之為孔子心中之理想行為，至於堯舜以後皆與子，則更增加堯舜「天下為公」之可貴，乃真足為「大同」時代之代表人物。至於〈禮運〉首段之後所謂「故聖人耐以天下為一家，中國為一人」，明指「傳子」而言，故其文在「小康」節，不在「大同」節中。

「小康」節「天下為家」以下，仍有「禮義以為紀，以正君臣，以篤父子，以睦兄弟，以和夫婦，以設制度，以立田里，以賢勇知」之境域存在，不得指為周室東遷以後之亂世，至於「以功為已，故謀用是作，而兵由此起」，則指三代征誅而言，並無不妥。

6.邵懿辰〈論禮運首段有錯簡〉曰：

> 我欲觀夏道，我欲觀殷道，我觀周道，三道字，正承大道而言，果大道既隱，又何觀焉，後文大柄大端大竇，即大道也，證六也。

今按「道」含多義，古今皆然，夏商周各有其「道」，不必皆同於「大同」之「道」，孔子居周之末，處據亂之世，而「欲觀夏道」，故必「之杞」，欲觀其所遺夏之「道」，孔子又「欲觀殷道」，故必「之宋」，欲觀其所遺商之「道」，孔子又欲「觀周道」，而見「幽厲傷之」，此則所謂夏商周三代之道，至周末皆衰，皆不足觀，非謂「大道既隱」，即全無「三代」之道，即全無「三代之英」，即全無「六君子」也。

邵氏所指「大柄大端大竇」，乃〈禮運〉首段以後文字，乃指「禮者君之大柄也」，「禮義也者，人之大端也，所以達天道人情之大竇也」，其義皆緊扣「禮」字而言，皆承接「大道既隱」之「小康」而言，不能因文中出現「大」字，即指其同於「大同」之「大道」。

7. 邵懿辰〈論禮運首段有錯簡〉曰：

〈仲尼燕居〉云：「昔聖帝明王諸侯，辨貴賤長幼遠近，男女外內，莫敢相踰越，皆由此塗出也。」聖帝明王，即此章六君子，由此塗出也，諸侯，即此章禮義為紀之大人，隱指桓文霸主而言，亦由此塗出也。後儒每據孟荀董子羞稱五霸之言，見〈祭義〉、〈表記〉、〈經解〉、〈王言〉等篇中兼言王霸，輒謂非孔子之言，然孔子稱齊桓霸諸侯，一匡天下，到今受賜，霸者伯也，伯者長也，文王嘗為西伯，周召嘗為二伯，令孔子輔魯行道，必不代周而王，亦不過如桓文為方伯，特異乎五霸之假仁假義耳，故以王霸並言，輕重之意已見，必以絕口不道為羞稱，孔子何以仁管仲，〈下泉〉何以思方伯乎，謂大道既隱，王命不行，猶賴有士大人，能持禮義以為紀，如葵邱五命，首誅不孝，責楚包茅，定王世子，殺魯哀姜，未嘗不正倫理飭制度，然特以賢勇智，以功為己而已，故謀不能不用，兵不能不起，然其尊周帖荊，封邢復衛，未嘗不以著其義，考其信，型其仁，講其讓，諸侯之有過者，擯而弗與盟會，尤無禮者，執之滅之，討而殺之，俾在勢者失其勢，而眾人以殃其身，是故周室倚其扶弱以共守，小國恃夫盟主以自安，雖禮樂征伐自諸侯出，尚不失為小康，與後文嘆魯之意，無相悖焉，為其非全美而有不足，詞多轉折抑揚耳。〈仲尼燕居〉與〈禮運〉，同出子游所記，故其文章相合如此，否則，聖帝明王之下，綴以諸侯，當作何解？

今案邵氏此論，文雖甚長，而要其歸宿，主要乃在依據《禮記·仲尼燕居》篇中所言「聖帝明王諸侯」，因而以為，「聖帝明王，即此章六君子」，「諸侯，即此章禮義為紀之大人，隱指桓文霸主而言」。實則，邵氏所言，有是有非，〈仲尼燕居〉篇中，開宗明義即曰：「仲尼燕居，子張子貢子游侍，縱言至於禮。」是該篇之中，全文所論，皆有關「禮」之事。而邵氏所論，亦言「禮樂征伐自諸侯出，尚不失為小康」，「為其非全美而有不足，詞多轉折抑揚耳」，故以為「諸侯力政」，不如「三代之英」。然推而言之，則孔子之意，亦可指陳，「小康」之境，也「非全美而有不足」，故「三代之英」，豈非同樣也不如「大道之行」之「大同」境域？

〈仲尼燕居〉篇中，所論皆有關「禮」制之事，「大同」、「小康」，皆需行「禮」，其所分別，一則「安而行之」，一則「勉強而行之」，有此不同而已。是以〈仲尼燕居〉篇中，明言「聖帝明王諸侯」，已分三層，「聖帝」指「大同」境域，「明王」指「三代之英」，「諸侯」指「諸侯征誅」。明王諸侯，雖皆可謂之「小康」，而周祚甚長（夏祚三三八年，商祚六四三年，周祚八七五年），平王東遷之後，王綱解紐，諸侯以力相爭，齊桓晉文，由此其選，及其後也，實已入於據亂之世，故〈仲尼燕居〉篇，有此三層分別，「諸侯」不如「明王」，「明王」不如「聖帝」，亦正與「禮運」篇中言「大同」、「小康」之意相符。

8. 邵懿辰〈論禮運首段有錯簡〉曰：

> 又《大戴・五帝德》篇，孔子答宰我之問黃帝曰：「禹湯文武成王周公，可勝觀耶！夫黃帝尚矣，汝何以為。」觀此，則夫子方且抑宰我之問，使求諸六君子，必不重五帝而薄三王，此又他書之可證也。

今案《大戴禮記・五帝德》篇，記宰我侍於孔子，首先以黃帝何以人稱至於三百年為問，「請問黃帝者人邪？抑非人邪？」孔子乃答以「禹湯文武成王周公，可勝觀也，夫黃帝尚矣，女何以為，先生難言之」⓭，孔子之意，不過言黃帝之事玄遠，前人多不易曉知，故直言禹湯文武成王周公，年代較近，事跡較顯，可以明觀其實，故以「六人」為言，並不即謂

⓭ 王聘珍：《大戴禮記解詁》，北京，中華書局，二〇〇四年五月。

「六人」之上，即無可問之人。

實則，《大戴禮記·五帝德》篇，於宰我之問黃帝，孔子仍然細為回答黃帝事跡，並說明黃帝「生而民得其利百年，死而民畏其神百年，亡而民用其教百年，故曰三年百」之緣由。且宰我於問黃帝之後，繼續請問帝顓頊、帝嚳、帝堯、帝舜、及禹之事，孔子亦一一詳細為之回答。邵氏以為「夫子方且抑宰我之問，使求諸六君子，必不重五帝而薄三王」，其實，孔子於宰我之問，並未抑止，及宰我繼續請問五帝與禹之後，孔子且深加贊許，以為「吾欲以語言取人，於予邪改之」。至於邵氏言孔子必不重五帝而薄三王，實則，取〈禮運〉篇合而觀之，孔子不薄三王，孔子乃重三王而更重五帝而已。

以上，乃就邵氏提出校移經文之證據，而一一加以駁正。

四、結語

邵懿辰以為〈禮運〉篇首段的文句有「錯簡」，因此，將他認為是錯簡的那二十六字，自「小康」節內，移往「大同」節中，並認為他的校移，已經恢復了經文的原貌。邵氏的移動文句，其實是一種古籍校勘的工作，在校勘學上，校移文句，校改文字，都必需有版本方面的主證，至少也需有相關典籍徵引該文的佐證，否則，不宜輕易更改。但是，邵氏在校移那二十六字時，卻並未提出任何版本上的主證或佐證，作為校移那二十六字的依據。

史學家陳垣先生曾撰有《校勘學釋例》一書⓮，在該書中，他提出了「校法四例」，提出了校勘學的四種基本方法，第一種是「對校法」，即以同書之祖本或別本對讀，遇不同之處，則注於其旁。第二種是「本校法」，即以本書前後互證，而抉摘其異同。第三種是「他校法」，即以他書校本書，凡其書有採自前人者，可以前人之書校之，有為後人所引用者，可以後人之書校之，其史料有為同時之書所並載者，可以同時之書校之。第四種是「理校法」，遇無古本可據，或數本互異，而無所適從之時，則須用此法，此法須通識為之，否則鹵莽滅裂，以不誤為誤，而糾紛愈甚，對於理校法，陳垣先生提道，「故最高妙者此法，最危險者亦此法」。

邵懿辰校移〈禮運〉篇首段那二十六字，基本上，只是一種「理校」的方法，頂多稍近於「本校法」而已。他的校移文句，到底是最高妙的校勘？抑或是最危險的校勘，以不誤為

⓮ 陳垣先生校勘《元典章》，凡得謬誤一萬二千餘條，又自其中抽出條例，集為《元典章校補釋例》一書，後改名為《校勘學釋例》，一九五九年，由北京中華書局出版。

誤呢？

在本文的第二部分，我們分別從四個方向作出考察，其一，是從歷史人物方面作考察，其二，是從思想境域方面作考察，其三，是從文章結構方面作考察，其四，是從〈禮運〉全篇方面作考察。考察比較的結果，我們認為，邵氏校改後的文字，並不如經典原文所表示的，文從字順，義理安妥。

在本文的第三部分，我們針對邵氏校移文句所提出來的八項證據，一一加以反駁，而認為邵氏的八項證據，並不足以成立。

經典古籍，時代久遠，展轉傳鈔印刷，文字訛誤，文句錯簡的情形，並非沒有，但是，如果沒有充分的證據，即加以移易，並不是最好的辦法。

推求邵懿辰的用意，或許是他不忍心也不願意見到「禹湯文武成王周公」那六位聖賢，只落居在「小康」的境域，因此，才將之移往「大同」的境域，作為「大同」時代的代表人物。

其實，夏商周「三代」，武力征伐，諸侯相爭，其事多有，徵之《史記》，一一可見，也就是因為在「三代」之中，有「六君子」的出現，有「禹湯文武成王周公」的「英明」，因此，才能維持「小康」的境域，因此，孔子對於「三代之英」的「六君子」，並無貶辭，且有褒揚之意。例如在〈禮運〉篇的後段之中，孔子在屢次談論到「小康」時代「禮」之重要時，便曾一再強調，「故禮義也者，人之大端也」，「故唯聖人為知禮之不可以已也」，就曾肯定地以「聖人」之名去稱贊「知禮」的「六君子」，可以為證。否則，如果夏商周三代，缺少了禹湯文武成王周公之治，去除掉六位聖君賢相，那裏還能維持「小康」的局面呢！恐怕早已入於「據亂」之世了。

因此，筆者認為，邵懿辰校移〈禮運〉篇首段那二十六字的理由，並不能使人信服。

邵懿辰生平論學，大體以朱子為依歸，治經以大義為先，而亦不廢考證之功，所撰《禮經通論》，凡一十九篇，篇幅雖不甚多，而所考論，則頗為精審，如〈論禮十七篇當從大戴之次本無闕佚〉、〈論孔子定禮樂〉、〈論樂本無經〉、〈論十七篇中射禮即軍禮〉、〈論禮運御字為鄉字之誤〉、〈論儀禮之稱當復為禮經〉等篇，所論皆精當不移，至於所撰〈論禮運首段有錯簡〉之說，其關係於「大同」「小康」之義趣者，頗為重要，而細讀之後，不能安之於心，故不得不為之駁正如上。

五、附論

一九九六年出版的《西南民族學院學報》（哲學社會科學版），刊載了永良先生所撰寫的一篇論文，〈禮記禮運首段錯簡應當糾正〉，在該文中，作者先舉出邵懿辰在《禮經通論》中校移那二十六字的說法，然後又舉出已故四川師範大學教授徐仁甫先生在四川省社科院作古漢語學術講座時，曾講到《禮記．禮運》首段有錯簡，文中並且說到，徐仁甫先生也認為，只有將那二十六個字的錯簡歸還到「大同」段去，道理才講得通。他還進一步從〈儒行〉的錯簡，也是每簡二十六字，證明「大同」錯簡確鑿。同時提到四十年前，徐先生就曾撰文論述過這一問題，〈禮運大同小康錯簡補正〉一文，一九四七年三月十一日刊載於「武漢日報」文學副刊，徐先生認為這個「與」字並非連詞，而當訓「謂」（動詞，說的是），「與」有「謂」的意思，訓見《經傳釋詞》。「大道之行也謂三代之英」，兩句是主謂關係，並非並列關係。意思是說：「大道之行也，說的就是三代之英」，那麼，「禹湯文武成王周公」這三代的傑出人物，自然就該在「大同」段，而不該在「小康」段中。這二十六個字照邵懿辰的說法歸還到「大同」段去，就合乎情理了，就不會再令人不得其解了。

以上，是永良先生在該文中所提到徐仁甫先生的意見。而徐仁甫先生的意見，主要是將「大道之行也與三代之英」中的「與」字，解釋為「謂」，而指「與」字的上下兩句，是主謂的關係，而非並列的關係。

「與」字在《經傳釋詞》中，雖可作「謂」字解，但是，〈禮運〉篇「大道之行也，與三代之英」中的「與」字，是否應該作「謂」字解，仍然要看上下文的語境，是否適合，才能斷定，馬建忠在《馬氏文通》中曾說：「字無定義字，故無定類，而欲知其類，當知上下之文義何如耳。」⓯便是這個意思。

王引之的《經傳釋詞》之中，「與」字共有七種用法，一是「及也」，二是「猶以也」，三是「猶為也」（為讀平聲），四是「猶為也」（為讀去聲），五是「猶謂也」，六是「如也」，七是「語助也」。⓰在上述的七種用法中，有三種用法有「猶」字在前，「猶」是訓詁學上重要的術語，段玉裁在《說文解字注》中說：「凡漢人作注云猶者，皆義隔而通之。」⓱所謂「義隔」，是指被訓字與訓釋字並無意義上的聯繫，所謂「而通之」，指被訓字與訓釋字在特殊的情況下暫時可以通用。因此，《經傳釋詞》的釋詞，說是「某，某也」，乃是該詞的常用之法，如果說是「某，猶某也」，則是屬於該詞的特殊用法。

因此，〈禮運〉篇首段「大道之行也與三代之英」中的「與」字，如果僅作連接詞

⓯ 馬建忠：《馬氏文通》，臺北，世界書局，民國五十一年九月。
⓰ 王引之：《經傳釋詞》，臺北，世界書局，民國五十一年九月。
⓱ 段玉裁：《說文解字注》頁九十，「讎」篆下注語，臺北，藝文印書館，民國四十七年十二月。

「及」的解釋，則是常用之法，如果作「謂」的解釋，則是特殊用法，而《經傳釋詞》對於二者用法的不同，前者是說「與，及也，常語也」，後者是說「與，猶謂也」，有此不同。

〈禮運〉篇中，使用「與」字，一共九次，如「昔者仲尼與於蜡賓」、「大道之行也與三代之英」、「選賢與能」、「以降上神與其先祖」、「與其越席」、「君與夫人交獻」、「三年之喪與新有昏者」、「以衰裳入朝，與家僕雜居齊齒」、「是謂君與臣同國」，九次出現的「與」字，都應當作「及」字解，所以，「大道之行也與三代之英」，傳統的用法，「與」也是作「及」字解，都是使前後文並列，分指二事的關係。只有照徐仁甫先生的看法，才只作「謂」字解，其目的，則在於使前後文處於主謂的關係，從而使「三代之英」與「大道之行」，可以視為一事。

此外，關於「謂」字的用法，〈禮運〉篇中，使用「是謂」一詞，一共十五次，如「是謂大同」、「是謂小康」、「是謂承天之祜」、「是謂合莫」、「是謂大祥」、「是謂大假」、「是謂僭君」、「是謂脅君」、「是謂亂國」、「是謂君與臣同國」、「是謂制度」、「是謂天子壞法亂紀」、「是謂君臣為謔」、「是謂疵國」、「是謂大順」。「是謂」一詞，皆承上文而作結束之義者。

〈禮運〉篇中，使用「之謂」一詞，一共三次，如「降于祖廟之謂仁義」、「降於山川之謂興作」、「降於五祀之謂制度」。「之謂」一詞，也是指陳上述文義而作結語之義。

〈禮運〉篇中，使用「謂之」一詞，一共六次，如「君死社稷謂之義」、「大夫死宗廟謂之變」、「十者謂之人義」、「講信修睦謂之人利」、「爭奪相殺謂之人患」、「麟鳳龜龍謂之四靈」。「謂之」的用法，與「之謂」相同。

〈禮運〉篇中使用「何謂」一詞，一共三次，如「何謂人情」、「何謂人義」「何謂四靈」。「何謂」一詞，乃詰問之語。

綜合上述〈禮運〉篇中對於「與」字及「謂」字的使用習慣而言，「謂」字既不作「與」字解，「與」字也不作「謂」字解，如果依照徐仁甫先生的意見，「大道之行也與三代之英」，將其中的「與」字，作「謂」字解，則在〈禮運〉篇中，確是成為唯一的例外，果真如是，則「大道之行也與三代之英」，古人何不逕書為「大道之行也謂三代之英」，或者逕書為「大道之行謂三代之英也」，「也」為句末表決定意之助詞，豈並不更加明確！

因此，「大道之行也與三代之英」，將其中的「與」字，解釋為「謂」，從而將「與」字的上下兩句，認為是主謂的關係，進而對移易「小康」節中的二十六字，改入「大同」節內，便認為是擁有了合理的證據，恐怕也是難以令人信服的推論。

主要參考書目

徐世昌：《清儒學案》，臺北，國防研究院，民國五十六年。

皮錫瑞：《經學通論》，臺北，河洛圖書出版社，民國六十三年。

武內義雄：〈禮運考〉，載江俠庵譯：《先秦經籍考》，臺北，河洛圖書出版社，民國六十四年。

高葆光：〈禮運大同章真偽問題〉，載臺北《大陸雜誌》十五卷三期。

王夢鷗：〈禮運考〉，載《國立政治大學學報》第八期，民國五十二年十二月。

永良，〈禮記禮運首段錯簡應當糾正〉，載《西南民族學院學報》，一九九六年。

（此文原刊於《興大人文學報》三十六期，民國九十五年六月出版）

肆、伊川《易傳》中政治思想之解析

一、引　言

《易》學的發展，至於漢代，學者多以象數說《易》，像孟喜（西元前九〇—四〇）的「卦氣」、焦延壽（西元前七〇—一〇）的「直日」、京房（西元前七〇—三七）的「納甲」、荀爽（一二八—一三九）的「升降」、虞翻（一七〇—二三九）的「卦變」等，都是主要的代表，及至三國時代，王弼（二二六—二四九）摒棄象數，而以老莊玄理，解說《周易》，及至唐代，孔穎達（五七四—六四八）奉詔撰著《周易正義》，專崇王弼之注，而漢《易》眾家之說，因而盡廢，及至宋代，陳摶（？—九八九）、劉牧（一〇一一—一〇六四）、邵雍（一〇一一—一〇七七）等人，又以河圖洛書之說，解釋《周易》，至程頤撰《易傳》，則直承王弼之緒，以儒學義理，解釋《周易》，其所論說，也最與孔門義趣相近，故《四庫提要・易類・小序》云：「漢儒言象數，去古未遠也，一變而為京、焦，入於禨祥，再變而為陳、邵，務窮造化，《易》遂不切於民用。王弼盡黜象數，說以老莊，一變而胡瑗、程子，始闡明儒理，再變而李光、楊萬里，又參證史事，《易》遂日啟其論端。此兩派六宗，已互相攻駁。」❶頗能說明《易》學發展至宋代之軌跡。

程頤（一〇三三－一一〇七）字正叔，北宋河南人，生於仁宗明道二年，卒於徽宗大觀六年，享年七十五歲，世人稱之為伊川先生。

程頤與其兄程顥，嘗從周敦頤問學，濂溪先生，深研《易》學，此為程頤習《易》之始，二程與張載，為表叔侄，亦時常相與論《易》，故程頤於《周易》一書，用力甚早，積累數十年之心血，於哲宗元符二年（西元一〇九九年），伊川六十七歲之時，方始撰成《易傳》一書❷，程子《易傳》，僅注六十四卦，《四庫提要》評伊川《易傳》一書云：「程子不信邵子之數，故邵子以數言《易》，而程子此傳則言理，一闡天道，一切人事。」故伊川《易傳》一書，既能闡明「儒理」，又多切於「人事」，故於儒家修己治人之道，也特為重視，闡釋尤多。

伊川《易傳》一書，雖然繼承王弼《易》學的傳統，但也並不盡廢象數，且常假《易》

象，以闡明人事之原理，也時時以古代史事與《易》理相佐證，主要皆在切於人事，周於世用，教人踐履篤實為目的。

伊川《易傳．序》曾云：「聖人之憂患後世，可謂至矣，去古雖遠，遺經尚存，然而前儒失意以傳言，後學誦言而忘味，自秦以下，蓋無《傳》矣。予生千有餘載之後，悼斯文之湮晦，將俾後人沿流而求源，此《傳》所以作也。」伊川以為，《易》之「遺經尚存」，但是，後儒之作，往往不能闡釋《易》之真義，故伊川以為，「自秦以下，蓋無《傳》矣」，所以在《十翼》稱為《易傳》之後，程子之書，仍然自名《易傳》，自然有其針對《十翼》以及王弼《易》注而「自負」的意義存在。❸

伊川〈易傳序〉又云：「易有聖人之道四焉，以言者尚其辭，以動者尚其變，以制器者尚其象，以卜筮者尚其占。吉凶消長之理，進退存亡之道備於辭，推辭考卦，可以知變，象與占在其中矣。君子居則觀其象而玩其辭，動則觀其變而玩其占，得於辭，不達其意者有

❶《四庫全書總目》，臺北，藝文印書館影印原刻本。下引並同。

❷伊川《易傳序》末自署：「有宋元符二年己卯正月庚申，河南程頤正叔序」，又朱熹《伊川先生年譜》云：「元符二年正月，《易傳》成而序之。」見《二程集》，臺北，里仁書局印行，一九八二年。

❸參高懷民：《宋元明易學史》頁五。下引並同。

矣，未有不得於辭，而能通其意者也。至微者理也，至著者象也，體用一源，顯微無間，觀會通以行其典禮，則辭無所不備，故善學者，求言必自近，易於近者，非知言者也。」在序文中，伊川指出了《易》中至微妙者為理，至顯著者為象，而又提出了「體用一源，顯微無間」的原則，他以為《周易》六十四卦，三百八十四爻，每卦都有其卦象，每爻都有其爻象，而每卦都表示某種道理，每爻也都表示某種道理，他認為，象是顯著性的，理是隱微性的，而理為體，象為用，且體用一源，體用不離，即用可以顯體，即象可以明理，因此，伊川在《易傳》中解釋易卦易爻，便常常「因象以明理」，常就卦爻之象，以彰明隱微之理，因此，「體用一源，顯微無間」，便是伊川解釋《周易》時的基本原則。以下，敘述伊川《易傳》中的政治思想，也儘量闡明伊川對此一基本原則的運用。

二、政治思想解析

分析程頤《易傳》中的政治思想，本文則就君道、臣道、求賢、治民、刑獄、用兵等六項重點，分別加以說明。

㈠為君之道

古代君王，一人居上，領導群臣，以治理萬民，必求萬民親附，以共享安和樂利之生活，例如《周易·比卦》曰：

九五，顯比，王用三驅，失前禽，邑人不誡，吉。

伊川《易傳》曰：

五居君位，處中，得正，盡比道之善者也。人君比天下之道，當顯明其比道而已。如誠意以待物，恕己以及人，發政施仁，使天下蒙其惠澤，是人君親比天下之道也。如是，天下孰不親比於上。若乃暴其小仁，違道干譽，欲以求下之比，其道亦已狹矣。其能得天下之比乎？[4]

[4] 程頤：《易傳》，臺北，河洛圖書出版社，一九七四年。下引程子《易傳》並同。

今案比卦☵☷，坤下坎上，坤為地，坎為水，水在地上，而水流於下，有親比之象，至九五一爻，以陽爻而居尊位，象君王居位，與下民相比，又能以仁政待民，伊川以為，君王在位，必使天下之民，皆能蒙受其澤，此則為君之道，最為重要之理。至於言天子田獵，三面合圍，前開一路，則是彰顯君主好生之仁而已。伊川《易傳》於〈比卦〉彖辭「不寧方來，上下應也」下注曰：

人之生，不能保其安寧，方且來求附比，民不能自保，故戴君以求寧，君不能獨立，故保民以為安，不寧而來比者，上下相應也。以聖人之公言之，固至誠求天下之比以安民心，以後王之私言之，不求下民之附，則危亡至矣，故上下之志，必相應也。

伊川之意，以為君王當深知人民因不能自保，方來依附君王，而君王也不能自立於萬民之外，獨自為王，故為君王者，必下體民情，使君民之間，情意相通，方能共謀和樂之生活。

又如《周易・同人卦》卦辭曰：

同人於野，亨，利涉大川，利君子貞。

〈大象〉曰：

同人，柔得位，得中而應乎乾，曰同人。同人于野，亨，利涉大川，乾行也。文明以健，中正而應，君子正也。唯君子為能通天下之志。

伊川《易傳》曰：

天下之志萬殊，理則一也。君子明理，故能通天下之志；聖人視億兆之心猶一心者，通於理而已。文明則能燭理，故能明大同之義；剛健則能克己，故能盡大同之道，然後能中正合乎乾行也。

今案同人卦䷌，離下乾上，乾為天，離為火，火性炎上，象火與天相同，伊川《易傳》以為，「以二體言之，五居正位，為乾之主，二為離之主，二爻以中正相應，上下相同，同人之義也」，故伊川以為，為君之道，當先明理義，先行通曉民眾之心願，從民所欲，盡民之利，方能使萬民如一心，君民如一志，而後為政，方能合於中正之大道。伊川《易傳》於

〈咸卦〉卦辭「咸，亨，利貞，取女吉」下注曰：

凡君臣上下，以至萬物，皆有相感之道，物之相感，則有亨通之理，君臣能相感，則君臣之道通，上下能相感，則上下之志通。以至父子、夫婦、親戚、朋友，皆情意相感，則和順而亨通，事物皆然，故感有亨之理也。利貞，相感之道，利在於正也，不以正則入於惡矣。

伊川以為，萬物皆有相感之理，為君之道，如能居上不驕，謙而下民，以感動萬民，則萬民也必以情意回報，如此上下相感，君民意通，則政事推行，必能和順亨通，趨於正理。又如《周易・泰卦》卦辭曰：

泰，小往大來，吉亨。

〈大象〉曰：

天地交，泰；后以財成天地之道，輔相天地之宜，以左右民。

伊川《易傳》曰：

天地交而陰陽和，則萬物茂遂，所以泰也。人君當體天地通泰之象，而以財成天地之道，輔相天地之宜，以左右生民也。財成謂體天地交泰之道，而財制成其施為之方也，輔相天地之宜，天地通泰，則萬物茂遂，人君體之而為法制，使民用天時，因地利，輔助化育之功，成其豐美之利也。如春氣發生萬物，則為播殖之法，秋氣成實萬物，則為收斂之法。乃輔相天地之宜，以左右輔助於民也。民之生，必賴君上為之法制，以教率輔翼之，乃得遂其生養，是左右之也。

今案泰卦䷊，乾下坤上，乾為陽，坤為陰，陽氣上騰，陰氣下降，陰陽相交，其氣和暢，萬物遂長，天地安泰，伊川以為，人君當深體上下交泰之象，而為之制定律則，輔翼萬民，用天之時，因地之利，播殖百穀，秋收成實，以獲豐收之果蓏，以遂百姓之生養，以得上下之和樂。又如《周易．益卦》曰：

上九，莫益之，或擊之，立心勿恆，凶。

〈象〉曰：

莫益之，偏辭也，或擊之，自外來也。

伊川《易傳》曰：

理者天下之至公，利者眾人所同欲。苟公其心，不失其正理，則與眾同利，无侵於人，人亦欲與之。若切於好利，蔽於自私，求自益以損於人，則人亦與之力爭，故莫肯益之，而有擊奪之者矣。

今案益卦䷩震下巽上，震為雷，巽為風，雷之與風，風烈則雷迅，雷激則風怒，兩相助益，所以有相益之象，上九一爻，伊川以為，「以剛處益之極，求益之甚者也」，「求之極，則侵奪而致怨」，故伊川之意，以為人君在上，當以公正之心，以求百姓之利，而不當切於私利，損人而自益，以犯於眾人之怒，是以主張，君王在上，必當藏富於民，所謂百姓足，君孰與不足，百姓不足，君孰與足，而不與民爭利，能不與民爭利，而以百姓之利，為一己之大利，則民心服從，政可大治。

以上所述，則是伊川《易傳》中有關為君之道的主要意見。

(二)為臣之道

古代帝王，一人居上，不能獨治天下，必得大臣輔佐，而後可期政道得成，萬民向治。然而，為大臣者，也必有自處之道，方能輔弼君王，下治萬民，而無所隕越，例如《周易·坤卦》曰：

> 六三，含章可貞，或從王事，无成有終。

伊川《易傳》曰：

> 三居下之上，得位者也，為臣之道，當含晦其章美，有善則歸之於君，乃可常而得

正，上無忌惡之心，下得柔順之道也，可貞，謂可貞固守之，又可以常久而无悔咎也，或從上之事，不敢當其成功，唯奉事以守其終耳，守職以終其事，臣之道也。

今案坤卦☷，坤下坤上，六爻皆陰，有柔順臣服之象，故伊川以為，六三一爻，居下卦之上，為大臣得位之象，又以為帝王在上，為大臣者，事奉國君，尤當深自謙抑，不掠君美，不居其功，一切章美，皆宜歸之於君，乃可以常保祿位，而免於功高震主之憂，伊川《易傳》於〈坤卦・文言傳〉「陰雖有美，含之以從王事，地道也，妻道也，臣道也」下注曰：「為下之道，不居其功，含晦其章美，以從王事，代上以終其事，而不敢有其成功也，猶地道代天終物，而成功則主於天也，妻道亦然。」也是以天地喻君臣，故主張大臣應以成功歸之於君，而不宜專己之美。伊川《易傳》於〈損卦〉「初九，已事遄往，无咎」下注曰：「下之益上，當損己而不自以為功，所益於上者，事既已則速去之，不居其功，乃无咎也，若享其成功之美，非損己益上也，於為下之道，為有咎矣。」其義也與前引〈比卦〉相同。又如《周易・比卦》曰：

六二，比之自內貞吉。

伊川《易傳》曰：

> 二與五為正應，皆得中正，以中正之道相比者也。二處於內，自內謂由己也。擇才而用，雖在乎上，而以身許國，必由於己。己以得君道合而進，乃得正而吉也。以中正之道，應上之求，乃自內也，不自失也。汲汲以求比者，非君子自重之道，乃自失也！

今案比卦䷇，坤下坎上，坤為地，坎為水，水性就下，水入土中，有親比之象，而六二一爻，以陰與五爻之陽相應，各正其位，與之相比，有大臣上應君王之象，故伊川以為，大臣在野，當由君王求才，然後乃被動而進用，而不可汲汲求進，以失君子自重之道，伊川《易傳》於〈比卦〉六二爻之〈象傳〉「比之自內，不自失也」下注曰：

> 守己中正之道，以待上之求，乃不自失也。易之為戒嚴密，二雖中正，質柔體順，故有貞吉自失之戒，戒之自守以待上之求，無乃涉後凶乎？曰士之脩己，乃求上之道；降志辱身，非自重之道也。故伊尹、武侯救天下之心非不切，必待禮至然後出也。

伊川以為，大臣在野之時，唯當進德修己，以待舉聘，如降志以求，辱身附比，則非君子自重之道，故枚舉伊尹與諸葛武侯，雖抱救世之心，也必待商湯與先主之盡禮親聘，然後方允出仕之例，以作論證。伊川《易傳》於〈比卦〉九五「邑人不誡，吉」下注曰：

以臣於君言之，竭其忠誠，致其才力，乃顯其比君之道也。用之與否，在君而已，不可阿諛逢迎，求其比己也。在朋友亦然，脩身誠意以待之，親己與否，在人而已，不可巧言令色，曲從苟合，以求人之比己也；於鄉黨親戚，於眾人，莫不皆然。

伊川之意，以為大臣於君，固當竭智盡忠，勤勞王事，但也不可阿諛逢迎，以失其大臣自重之道。

要之，伊川論為臣之道，主要以為，君主位高在上，大臣輔弼在下，也當如天地相應，方能使「君臣合力，剛柔相濟」❺，以登百姓萬民於至治之境。

㈢求賢之道

天下之大，君王一人，不能治理，必廣求賢士，與君共治，然後國家可安，而百姓可獲和樂之生活，例如《周易・臨卦》曰：

> 六五，知臨，大君之宜，吉。

伊川《易傳》曰：

> 五以柔中順體居尊位，而下應於二剛中之臣，是能倚任於二，不勞而治，以知臨下者也。夫以一人之身，臨乎天下之廣，若區區自任，豈能周於萬事，故自任其知者，適足為不知。唯能取天下之善，任天下之聰明，則無所不周，是不自任其知，則其知大矣。五順應於九二，剛中之賢，任之以臨下，乃己以明知臨天下，大君之所宜也。其吉可知。

今案臨卦䷒，兌下坤上，兌為澤，坤為地，澤上之地，為水邊之岸，岸近乎水，與水相

---

❺ 見程頤：《易傳》釋〈渙卦〉六四「渙其群，元吉」之注。

接，有臨近之象，六五一爻，以陰柔而與九二陽剛相應，有君居尊位，而倚重剛毅之臣，以治天下之象，故伊川以為，國君能舉取天下之善才，能任用天下之聰明，則正是君王能自行擴大其智慧。伊川《易傳》於〈蹇卦〉九五「大蹇，朋來」下注曰：「自古聖王濟天下之蹇，未有不由賢聖之臣為之助者，湯、武得伊、呂是也。中常之君，得剛明之臣，而能濟大難者，則有矣，劉禪之孔明，唐肅宗之郭子儀，德宗之李晟是也。雖賢明之君，苟无其臣，則不能濟於難也。」伊川不僅舉出聖賢之君，如商湯、武王，得伊尹、太公之輔，能行王道於天下，即使中庸之君，也必得剛明之大臣，始能免於困難，足見君王求賢之重要。然而，君王求賢，必也有其道，謙恭下士，至誠以禮，方可求得賢人，以為國用，如《周易・姤卦》曰：

> 九五，以杞包瓜，含章，有隕自天。

伊川《易傳》曰：

> 九五下亦无應，非有遇也，然得遇之道，故終必有遇。夫上下之遇，由相求也。杞，

高木而葉大，處高體大，而可以包物者。杞也，美實之在下者，瓜也，美而居下者，側微之賢之象也。九五尊居君位，而下求賢才，以至高而求至下，猶以杞葉而包瓜，能自降屈如此，又其內蘊中正之德，充實章美，人君如是，則无有不遇所求者也。雖屈己求賢，若其德不正，賢者不屑也，故必含畜章美，內積至誠，則有隕自天矣。猶云自天而降，言必得之也。自古人君，至誠降屈，以中正之道，求天下之賢，未有不遇者也。高宗感於夢寐，文王遇於魚釣，皆由是道也。

今案姤卦䷫，巽下乾上，巽為風，乾為天，風行於天之下，乃觸遇萬物之象，故伊川以為，九五一爻，居於尊位，象君王下求賢才，而人君必內以至誠之實，外以謙虛之禮，方能所求賢士，多能相遇而合，故伊川又舉殷高宗武丁之得傳說、周文王之得太公呂望，以為佐證，伊川《易傳》於〈蠱卦〉上九「不事王侯，高尚其事」下注曰：「不事王侯，高尚其事，古之人有行之者，伊尹、太公望之始，曾子、子思之徒是也，不屈道以徇時，既不得施設於天下，則自善其身，尊高敦尚其事，守其志節而已。」也在說明，賢人君子，不遇於時，則修身尚志，高潔自守，不屈道以徇俗。伊川《易傳》於〈蒙卦〉彖傳「匪我求童蒙，童蒙求我，志應也」下注曰：「賢者在下，豈可自進，以求於君，苟自求之，必無能信用之理，古之人所以必待人君致敬盡禮而後往者，非欲自為尊大，蓋其崇德樂道，不如是不足與有為也。」也在說明，賢士非欲自為尊大，而必待君王能致敬盡禮，然後前往出仕，主要在於，得君行道，方能一展所長，以康濟天下，而「不如是不足與有為也」。

要之，「天下之事，豈一人所能獨任，必當求天下之賢智，與之協力，得其人，則天下之治，可不勞而致也，用非其人，則敗國家之事，貽天下之患」[6]，是以君王求賢以向治，能不謹慎之至，大臣舉才以共治，能不謹慎之至。

(四)為治之道

君主在上，既得賢臣，推行政令，尤須進求上下君民，心意互通，各安本分，而後治道可以有成，例如《周易．履卦》卦辭曰：

> 履虎尾，不咥人，亨。

〈象〉曰：

上天下澤，履，君子以辯上下，定民志。

伊川《易傳》曰：

天在上，澤居下，上下之正理也。人之所履當如是，故取其象而為履。君子觀履之象，以辨別上下之分，以定其民志。夫上下之分明而後民志有定，民志定，然後可以言治；民志不定，天下不可得而治也。

今案履卦䷉，兌下乾上，兌為澤，乾為天，天居上，澤處下，各有定分，此禮之根本，可經常履行之道，伊川以為，治民之道，必使上下君民，各安其業，各當其分，各盡其能，如此，方能使民心安定，政治修明。至於民心雖定，而君王為政，尤須使君民上下，情意相通，相互信任，例如《周易・否卦》卦辭曰：

❻ 見程頤：《易傳》釋〈鼎卦〉九四「鼎折足，覆公餗，其形渥，凶」之注。

否之匪人，不利君子貞，大往小來。

〈彖〉曰：

否之匪人，不利君子貞，大往小來，則是天地不交，而萬物不通也，上下不交，而天下无邦也。

伊川《易傳》曰：

夫天地之氣不交，則萬物无生成之理，上下之義不交，則天下无邦國之道。建邦國所以為治也，上施政以治民，民戴君而從命，上下相交，所以治安也。今上下不交，是天下无邦國之道也，陰柔在內，陽剛在外，君子往居於外，小人來處於內，小人道長，君子道消之時也。

今案否卦☰☷，坤下乾上，坤為地，乾為天，天處上，地處下，天氣上騰，地氣下降，為天地隔絕，不相交通之象，故伊川《易傳》，取以為戒，以為致治之道，必使君民上下，情意相通，「人君執柔守中，而以孚信接於下，則下亦盡其信誠，以事於上，上下孚信相交」❼，如此，君能取信於民，民能信任於君，國家方能平治，以共進於康樂之途。至於國君為治，政令更革之際，則民心信任，尤為切要，例如《周易・革卦》卦辭曰：

> 革，已日乃孚，元亨利貞，悔亡。

〈彖〉曰：

> 已日乃孚，革而信之。

伊川《易傳》曰：

---

❼ 見程頤：《易傳》釋〈大有卦〉六五「厥孚交如，威如，吉」之注。

> 事之變革，人心豈能便信？必終日而後孚，在上昔於改為之際，當詳告申令，至於巳日，使人信之，人心不信，雖強之行，不能成也。先王政令，人心始以為疑者有矣，然其久也必信，終不孚，而成善治者，未之有也。

今案革卦䷰，離下兌上，離為火，兌為澤，澤水滅火，有相變革之象，伊川以為，凡事當變革之際，尤須使民心信任，君王政令，方始能有所成，在〈革卦〉中，伊川又舉商湯、武王革命之事為例，以為「湯武之王，上順天命，下應人心，順乎天而應乎人」，「革而能照察事理，和順人心，可致大亨，而得貞正，如是變革，得其至當」，以說明國家興革政事，君民同心之重要。至於為政之道，伊川則注重寬猛相濟，例如《周易·解卦》卦辭曰：

> 解，利西南，无所往，其來復吉，有攸往，夙吉。

伊川《易傳》曰：

> 西南坤方，坤之體廣大平易，當天下之難方解，人始離艱苦，不可復以煩苛嚴急治

之，當濟以寬大簡易，乃其宜也，如是，則人心懷而安之，故利於西南也。湯除桀之虐，而以寬治，武王誅紂之暴，而反商政，皆從寬易也。

今案解卦䷧，坎下震上，坎為險，震為動，動於險外，有出乎艱險、患難解散之象，伊川以為，西南方位主於坤，坤體廣大，故當民眾始離艱苦之際，當以寬大簡易之政相濟，使民心安定，而不可以嚴苛為治，然而，伊川《易傳》於〈謙卦〉六五「不富以其鄰，利用侵伐，无不利」下注曰：「然君道不可專尚謙柔，必須威武相濟，然後能懷服天下，故利用行侵伐也，威德並著，然後盡君道之宜而無所不利也。」是以為政治民，伊川也主張寬猛以相濟。至於民用財賦方面，伊川則主張均平和諧，豐儉相濟，例如《周易．謙卦》卦辭曰：

謙，亨，君子有終。

〈大象〉曰：

地中有山，謙，君子以裒多益寡，稱物平施。

伊川《易傳》曰：

> 君子以裒多益寡，稱物平施，君子觀謙之象，山而在地下，是高者下之，卑者上之，見抑高舉下，損過益不及之義。以施於事，則裒取多者，增益寡者，稱物之多寡，以均其施與，使得其平也。

今案謙卦䷎，艮下坤上，艮為山，坤為地，地體卑，山體高，山居地下，高居卑下，有謙虛之象，伊川以為，君王施政，見抑高舉下之象，而得損多益寡之義，以此治民，務使民用財賦，皆能得其均平調和之道，而免於貧困，伊川《易傳》於〈觀卦〉象傳「風行地上，觀，先王以省方、觀民、設教」下注曰：「天子巡省四方，觀視民俗，設為政教，如奢則約之以儉，儉則示之以禮是也。」可知伊川於君王為治之道，也特為注重百姓之奢儉有度，而不逾乎中庸。又如《周易·臨卦》卦辭曰：

> 臨，元亨利貞，至於八月，有凶。

伊川《易傳》曰：

> 二陽方長於下，陽道嚮盛之時，聖人豫為之戒曰：陽雖方盛，至於八月，則其道消矣，是有凶也。大率聖人為戒，必於方盛之時，方盛而慮衰，則可以防其滿極，而圖其永久；若既衰而後戒，亦无及矣。自古天下安治，未有久而不亂者，蓋不能戒於盛也。方其盛而不知戒，故狃安富則驕侈生，樂舒肆則綱紀壞，忘禍亂則釁孽萌，是以浸淫不知亂之至也。

今案臨卦䷒，兌下坤上，兌為澤，坤為地，澤上之地，與水相接，臨近乎水，故有臨近之象，伊川釋〈臨卦〉卦辭，以為〈臨卦〉二陽在下，適正成長，陽道方盛，而天下之事，盛極必衰，故聖人預為之戒，以示安不忘危，此則君王為政，也必遠見未萌，先見契機，以教萬民，趨吉而避凶。又如《周易．泰卦》曰：

> 九三，无平不陂，无往不復，艱貞无咎，勿恤其孚，于食有福。

伊川《易傳》曰：

> 三居泰之中，在諸陽之上，泰之盛也。物理如循環，在下者必升，居上者必降，泰久而必否，故於泰之盛，與陽之將進，而為之戒曰：无常安平而不險陂者，謂无常泰也；无常往而不返者，謂陰當復也。平者陂，往者復，則為否矣。當知天理之必然。方泰之時，不敢安逸，常艱危其思慮，正固其施為，如是則可以无咎。處泰之道，既能艱貞，則可常保其泰，不勞憂恤，得其所求也。

今案泰卦䷊，乾下坤上，坤陰在上，乾陽在下，陽氣上騰，陰氣下降，陰陽相交而和，有萬物生成通泰之象，九三一爻，伊川以為，九三居〈泰卦〉之中，在諸陽之上，為通泰之盛，而物理如循環，泰久必否，為天理之必然，故君王為治，雖處盛時，也當防微杜漸，不敢安逸，乃可常保其泰，其意也與前述〈臨卦〉之旨相近。又如《周易．損卦》卦辭曰：

> 損，有孚，元吉，无咎，可貞，利有攸往，曷之用，二簋可用享。

伊川《易傳》曰：

> 損者，損過而就中，損浮末而就本實也。聖人以寧儉為禮之本，故於損發明其義。以享祀言之：享祀之禮，其文最繁，然以誠敬為本，多儀備物，所以將飾其誠敬之心，飾過其誠，則為偽矣，損飾所以存誠也。故云曷之用，二簋可用享。二簋之約，可用享祭，言在乎誠而已，誠為本也。天下之害，无不由末之勝也，峻宇雕墻本於宮室，酒池肉林本於飲食，淫酷殘忍本於刑罰，窮兵黷武本於征討，凡人欲之過者，皆本於奉養，其流之遠，則為害矣。先王制其本者，天理也。後人流於末者，人欲也，損之義，損人欲以復天理而已。

今案損卦䷨，兌下艮上，兌為澤，艮為山，澤在山下，其氣上通，有潤及草木百物之象，伊川釋卦辭之義，以為聖人制禮，以儉為本，又引申而言，「天下之害，無不由末之勝」，以為凡百害之起，皆始於細微之末，而治道之危，也皆源於人君之不能自勝其私己之欲，故伊川以為，人主當克治己心，勿縱私欲，使返於天理之明，則其政可平，在此卦中，伊川提

出「損人欲以復天理」，為其理學思想中理欲之論，立下基礎。❽

要之，伊川論君王為治之道，主要在於君民上下，情意交通，相孚互信，然後乃能尋求均平和諧、豐儉適度之政治理想，而其根本，尤在於君主一己之能損人欲以復天理。

(五)刑獄之道

君王為治，雖崇尚道德，但民未興治，或蔽於蒙昧，則刑法之律，訟獄之設，也不可不備，以警惕宵小，端正趨向，例如《周易・蒙卦》曰：

> 初六，發蒙，利用刑人，用說桎梏，以往，吝。

伊川《易傳》曰：

> 初以陰闇居下，下民之蒙也。爻言發之之道，發下民之蒙，當明刑禁以示之，使之知畏，然後從而教導之。自古聖王為治，設刑罰以齊其眾，明教化以善其俗，刑罰立而後教化行，雖聖人尚德，而不尚刑，未嘗偏廢也。故為政之始，立法居先，治蒙之

> 初，威之以刑者，所以說去其昏蒙之桎梏。桎梏，謂拘束也。不去其昏蒙之桎梏，則善教无由而入，既以刑禁率之，雖使心未能喻，亦當畏威以從，不敢肆其昏蒙之欲，然後漸能知善道，而革其非心，則可以移風易俗矣。苟專用刑以為治，則蒙雖畏，而終不能發；苟免而无恥，治化不可得而成也。故以往則可吝。

今案蒙卦䷃，坎下艮上，坎為水為險，艮為山為止，山下有險，遇險而止，莫知所往，有蒙昧之象，初六一爻，以陰闇而居下，為下民蒙昧之始，伊川以為，欲發下民之蒙，當先明典型，然後從而教導，至於君王居上，以治萬民，也當先立刑罰，而後教化可行，故主張為政之始，「立法居先」，使民眾不敢肆其昏蒙之欲，而後逐漸能知善道，進而可以移風易俗，是以教民之初，立法制刑，正所以為教化百姓之道理，伊川《易傳》於〈噬嗑卦〉注曰：

---

❽ 「滅天理而窮人欲」，最早見於《禮記・樂記》，至程子《易傳》，特為強調，形成宋明理學中之主要命題，故朱子云：「聖賢千言萬言，只是教人明天理、去人欲。」（見《朱子語類》卷十二），陽明也云：「聖人述六經，只是要正人心，只是要存天理、去人欲。」（見《傳習錄》卷上）

噬，齧也。嗑，合也，口中有物間之，齧而後合之也。卦上下二剛爻，而中柔外剛，中虛人頤，口中之象也。中虛之中，又一剛爻，為頤中有物之象，口中有物，則隔其上下，不得嗑，必齧之則得嗑，故為噬嗑，聖人以卦之象，推之於天下之事，在口則為有物隔而不得合，在天下則為有強梗或讒邪間隔於其間，故天下之事不得合也。當用刑法，小則懲誡，大則誅戮，以除去之，然後天下之治得成矣。凡天下至於一國一家，至於萬事，所以不和合者，皆由有間也，无間則合矣。以至天地之生，萬物之成，皆合而後能遂，凡未合者，皆有間也。若君臣、父子、親戚、朋友之間有離貳怨隙者，蓋讒邪間於其間也，除去之則和合矣。故間隔者，天下之大害也！聖人觀噬嗑之象，推之於天下萬事，皆使去其間隔而合之，則无不和且治矣，噬嗑者，治天下之大用也，去天下之間，在任刑罰，故卦取用刑為義，在二體，明照而威震，乃用刑之象也。

今案噬嗑卦䷔，震下離上，震為行動，離為附麗，伊川以為，此卦上下兩爻皆剛爻，其中三爻皆柔爻，有人口之象，其中又一剛爻，則象口中有物，使人口隔其上下，而不得合之象，伊川先釋此卦之象，然後言「聖人以卦之象，推之於天下之事」，以為天下之不能得合，為有強梗讒邪隔於其間，故以為當用刑法懲誡誅戮，除去奸邪，然後天下可以治理，故伊川以為，「間隔者，天下之大害」，舉凡人事物理，皆當任用刑罰律則，去除其間隙中之阻隔，然後天下可以長治久安，物理可以順遂和合。至於用刑治獄之道，則伊川主張剛柔並用，漸至於刑寬而緩死，法陳而不用，伊川《易傳》於〈噬嗑卦〉卦辭「柔得中而上行，雖不當位，利用獄也」下注曰：「治獄之道，全剛則傷於嚴暴，過柔則失於寬縱，五為用獄之主，以柔處剛而得中，得用獄之道也。」又於〈中孚卦〉象傳「中孚，君子以議獄緩死」下注曰：「君子之於議獄，盡其忠而已，於決死獄，於惻而已，故誠意常求於緩，緩，寬也，於天下之事，無所不盡其忠，而議獄緩死，最其大者也。」故刑獄之設，在禁亂止惡，導民於正而已。又如《周易・大畜卦》曰：

六五，豶豕之牙，吉。

伊川《易傳》曰：

六居君位，止畜天下之邪惡，夫以億兆之眾，發其邪欲之心，人君欲力以制之，雖密法嚴刑，不能勝也。夫物有總攝，事有機會，聖人操得其要，則視億兆之心猶一心，道之斯行，止之則戢，故不勞而治，其用若豶豕之牙也。豕，剛躁之物，而牙為猛利，若強制其牙，則用力勞而不能止其躁猛，雖縶之維之，不能使之變也。若豶去其勢，則牙雖存，而剛躁自止，其用如此，所以吉也。君子法豶豕之義，知天下之惡，不可以力制也，則察其機，持其要塞，絕其本原，故不假刑法嚴峻而惡自止也。且如止盜，民有欲心，見利則動，苟不知教，而迫於饑寒，雖刑殺日施，其能勝億兆利欲之心乎？聖人則知所以止之之道，不尚威刑而修政教，使之有農桑之業，知廉恥之道，雖賞之不竊矣，故止惡之道在知其本得其要而已，不嚴刑於彼，而修政於此，是猶患豕牙之利，不制其牙，而豶其勢也。

今案大畜卦䷙，乾下艮上，乾為天，艮為山，天在山中，有蘊畜至大之象，至於六五一爻，伊川以為，以陰柔而居五爻君位，有止畜天下邪惡之義，又以野豕去勢，牙無所用為喻，以明天下之惡，不可力制，而必杜絕本原之義，從而引出以嚴刑治民，不若勤修德政，教以廉恥之道，使其雖賞之亦不為盜，方為得其止惡之根本。

要之，君王之治天下，刑獄之設，法制之陳，雖不可少，推究其意，則在導民向善，備而不用為上。

㈥用兵之道

君王為政，雖以道德教化為之主，而軍備國防，也不可不為之具備，必要之時，也可以誅奸除惡，以安百姓，例如《周易·蒙卦》曰：

> 上九，擊蒙，不利為寇，利禦寇。

伊川《易傳》曰：

> 九居蒙之終，是當蒙極之時，人之愚蒙既極，如苗民之不率，為寇為亂者，當擊伐之。然九居上，剛極而不中，故戒不利為寇。治人之蒙，乃禦寇也，肆為剛暴，乃為寇也，若舜之征有苗，周公之誅三監，禦寇也。秦皇漢武，窮兵誅伐，為寇也。

今案蒙卦䷃，坎下艮上，坎為水為險，艮為山為止，山下有險，遇險而止，莫知所往，有茫然蒙昧之象，上九一爻，伊川以為，居蒙卦之終，似人愚蒙之極，如苗民寇賊奸宄為亂，故當引兵擊之，伊川借此爻爻辭，又亟為分別「為寇」與「禦寇」之不同，禦寇乃被動之抵抗戰爭，為寇乃主動之發起戰爭，一乃禦暴，一乃為暴，前者乃正義之師，後者乃侵略之師，有此分別，故力主師出以義動為正，例如《周易・師卦》卦辭曰：

> 師貞，丈人吉，无咎。

伊川《易傳》曰：

> 師之道，以正為本，興師動眾，以毒天下，而不以正，民弗從也，強驅之耳。故師以貞為主，其動雖正也，帥之者必丈人則吉，而无咎也。蓋有吉而有咎者，有无咎而不吉者，吉且无咎，乃盡善也。丈人者，尊嚴之稱，帥師總眾，非眾所尊信畏服，則安能得人心之從？故司馬穰苴擢自微賤，授之以眾，乃以眾心未服，請莊賈為將也，所謂丈人，不必素居崇貴，但其才謀德業，眾所畏服則是也。如穰苴既誅莊賈，則眾心畏服，乃丈人矣。又如淮陰侯起於微賤，遂為大將，蓋其謀為有以使人尊畏也。

今案師卦䷆，坎下坤上，坎為水，坤為地，地中有水，有眾聚之象，此卦一陽為眾陰之主，有將帥之象，伊川以為，興師之道，以正為本，能興師動眾，其主帥又具尊嚴，為眾所信服，必能安民之心，故舉司馬穰苴與韓信為例，得將如此，方足以服人心而取得勝利，即使兵興戰危，傷財害民，以其義動，民亦無所怨尤，是以「兵師之興，眾心和說，則順從而有功」❾。伊川《易傳》於〈師卦〉「初六，師出以律，否臧凶」下注曰：

> 初，師之始也，故言出師之義，及行師之道，在邦國興師而言，合義理，則是以律法也，謂以禁亂誅暴而動，苟動不以義，則雖善亦凶道也。善謂克勝，凶謂殃民害義也。在行師而言，律謂號令節制，行師之道，以號令節制為本，所以統制於眾，不以律，則雖善亦凶，雖使勝捷，猶凶道也。制師无法，幸而不敗且勝者，時有之矣，聖人之所戒也。

伊川之意，以為師以義動，行師之際，又能以號令節制為本，當能獲致善果，否則，制節無

❾ 見程頤：《易傳》釋〈豫卦〉卦辭「豫，利建侯行師」之注。

法，即使僥幸不敗，亦當深加戒惕於心。伊川《易傳》於〈師卦〉「六四，師左次，无咎」下注曰：

師之進，以強勇也，四以柔居陰，非能進而克捷者也。知不能進而退，故左次，左次，退舍也。量宜進退，乃所當也，故无咎。見可而進，知難而退，師之常也。唯取其退之得宜，不論其才之能否也，度不能勝而完師以退，愈於覆敗遠矣。可進而退，乃為咎也。《易》之發此義，以示後世，其仁深矣。

伊川之意，以為軍行師動，為主將者，當量敵度勢，見可而進，知難而退，必使進退得宜，方能獲取勝利而免於覆敗，此乃居將帥者宜有之仁心。伊川《易傳》於〈師卦〉「六五，田有禽，利執言，无咎，長子帥師，弟子輿師，貞凶」下注曰：

五，君位，興師之主也，故言興師任將之道。師之興，必以蠻夷猾夏，寇賊奸宄，為生民之害，不可懷來，然後奉辭以誅之；若禽獸入于田中，侵害稼穡，於義宜獵取，則獵取之，如此而動，乃得无咎。若輕動以毒天下，其咎大矣。執言，奉辭也，明其

> 罪以討之也。若秦皇漢武，皆窮山林以索禽獸者也，非田有禽也。任將授師之道，當以長子帥師，二在下而為師之主，長子也。若以弟子眾主之，則所為雖正，亦凶也。弟子，凡非長子者也。自古任將不專而致覆敗者，如晉荀林父邲之戰，唐郭子儀相州之敗是也。

伊川之意，以為興師任將，宜以如君之長子者為主帥，以其德能孚眾，才能馭下，故能遇戰必勝，逢敵必克，至若擇將不信，任將不專，即使有荀林父、郭子儀之將才，亦或有敗軍覆將之危。伊川《易傳》於〈師卦〉「上六，大君有命，開國成家，小人勿用」下注曰：

> 上，師之終也，功之成也，大君以爵命賞有功也，開國，封之為諸侯也，承家，以為卿大夫也。承，受也，小人者，雖有功不可用也，故戒使勿用。師旅之興，成功非一道，不必皆君子也，故戒以小人有功不可用也。賞之以金帛祿位可也，不可使有國家而為政也。小人平時易致驕盈，況挾其功乎，漢之英、彭所以亡也。聖人之深慮遠戒也，此專言師終之義，不取爻義，蓋以其大者。若以爻言，則六以柔居順之極，師既終而在无位之地，善處而无咎者也。

君主任將，征討不義，及其成功，獲勝而歸，固屬幸事，然而，為將帥者，百戰榮歸，君王若處置不慎，則驕兵悍將，往往擁兵自重，據地自雄，形成尾大不掉之勢，故伊川於〈師卦〉上六一爻，當用師之終，也寄以深慮遠戒，以為征戰豪雄，不必皆為彬彬君子，易致驕盈，是以君王酬之，賞以金帛祿位，使之終老即可，而不可使專國家之政，以免招致國家之危害。

要之，伊川論君王任將用兵之道，必使之一出於正，師以義動，而不可推動不義之侵略戰爭。

三、結 語

在宋元明理學的發展史上，程顥、程頤及朱熹，理念相近，所以並稱為程朱學派，但是，朱子對於程子《易傳》，卻有不少批評的意見，朱子曾云：「伊川解經，是據他一時所見道理恁地說，未必便是聖人本旨。」又云：「伊川見得個大道理，卻將經來合他這道理，不是解《易》。」又云：「伊川《易傳》，又自是程氏之《易》也。」[10]因此，朱子在程子之後，又自撰《周易本義》，主要也是認為程子《易傳》所闡發的，並非全然都是《周易》

的本義。

但是，明代末葉的顧亭林，在〈與友人論易書〉中卻云：「昔之說《易》者，無慮數千百家，如僕之孤陋，而所見及寫錄唐宋人之書，亦有十數家，有明之人之書不與焉，然未見有過於《程傳》者。」⓫卻對程子《易傳》，極為推崇。

要之，程子《易傳》承王弼掃棄象數之緒，闡釋儒理，深邃細密，在《易》學史上，確實具有絕對重要之地位存在。

本文之作，闡論程子《易傳》中之政治思想，既已如前所述，尚有幾點意見，記之如下：

㈠伊川《易傳》，闡釋儒理，多據卦爻之象，以說義理，然後推之人事，而所據之象，則本之《周易》本經本傳之象，而不涉及漢儒象數之說。

㈡伊川《易傳》，闡釋人事之理，時常援用古代人物史事，加以佐證。

㈢伊川《易傳》，闡釋《易》理，其基本之原則，則在「體用一源，顯微無間」之形上

---

❿ 前引朱子之言，分別見於黎靖德所編：《朱子語類》卷一〇五、卷六十七，臺北，正中書局。

⓫ 見顧亭林：《顧亭林文集》卷三，臺北，漢京文化出版公司，一九八四年。

基礎。

㈣伊川於《易傳》之中，於「理」、「天理」、「人欲」等概念，多所闡明，即以本文所引者為例，如〈同人卦〉「君子明理」，〈咸卦〉「物之相感，則有相感之理」，〈益卦〉「理者天下之至公」，〈泰卦〉「當知天理之必然」，〈損卦〉「損人欲以復天理」，皆其一端而已，這些概念，也都是程朱理學中的重要思想範疇，因此，朱伯崑先生才說，「程頤的易學，為宋明理學奠定了理論基礎」⓬。

㈤伊川在《易傳》中所論述的政治思想，極能闡明孔門儒理的真實意義，《論語》及《孟子》中所記錄的政治理念，雖極精要，不免簡略，孔孟的政治學說，得到伊川在《易傳》中的闡發，可謂精華顯現，無遺蘊矣。

㈥伊川《易傳》，闡釋儒理，專明人事，在《易傳》中，其他修己治人之道理，尚極繁富，不能一一枚舉，今茲所論，程氏闡發之政治智慧，實皆可供後人所借鏡。

主要參考書目

程顥、程頤：《二程集》，臺北，里仁書局，一九八二年。
程頤：《易傳》，臺北，河洛圖書出版社，一九七四年。

黃忠天：《周易程傳註評》，高雄，復文圖書出版社，一九九〇年九月。
胡自逢：《程伊川易學述評》，臺北，文史哲出版社，一九九五年十二月。
屈萬里：《先秦漢魏易例述評》，臺北，學生書局，一九六九年四月。
朱伯崑：《易學哲學史》，臺北，藍燈文化事業股份有限公司，一九九一年九月。
廖名春、康學偉、梁書弦：《周易研究史》，湖南出版社，一九九一年七月。
劉玉建：《兩漢象數易學研究》，廣西教育出版社，一九九六年九月。
高懷民：《兩漢易學史》，臺北，中國學術著作獎助委員會，一九七〇年十二月。
高懷民：《宋元明易學史》，臺北，荷美印刷設計有限公司，一九九四年二月。

（此文原刊於《興大人文學報》三十五期，民國九十四年六月出版）

⓬ 見朱伯崑：《易學哲學史》，臺北，藍燈文化事業股份有限公司，一九九一年九月，頁二〇二。

伍、馬一浮論《春秋》要旨

一、引言

馬浮字一浮，號湛翁，浙江紹興人，生於清光緒九年，卒於民國五十六年，當西元一八八三年至一九六七年，享年八十五歲。

馬一浮先生早年留學美國、日本，多讀西方哲學著述，二十四歲返國之後，隱居於西子湖畔，遍讀文瀾閣所藏《四庫全書》，不求聞達。

抗日軍興，倭寇侵陵，馬一浮先生隨同浙江大學西遷，曾經講學於江西省之泰和縣及廣西省之宜山縣，先成《泰和會語》及《宜山會語》二書，其後再遷於四川省之樂山縣，創立復性書院，期以昌明學術，端正人心，以報國家，乃又完成《復性書院講錄》與《爾雅臺答問》二書。

馬一浮先生的為學，雖然是博極群書，兼綜儒佛，但是，其思想的重心，卻仍然是落在儒家的六藝「六經」之中，在《泰和會語》中，他指出「六藝該攝一切學術」，而「六藝統攝於一心」❶，這是馬先生論學，對於「六經」的總體看法，而在《復性書院講錄》之中，馬先生卻藉著宣講《論語》之大義，而對於「六經」的要旨，分別作出講論，馬先生以為，「六藝皆孔氏之遺書，七十子後學所傳，欲明其微言大義，當先求之《論語》，以其皆孔門問答之詞也，據《論語》以說六藝，庶幾能得其旨」❷。

以下，則先行對於馬先生所講解的《春秋》要旨，試作闡釋。

二、要旨

《復性書院講錄》卷二之內，收有馬一浮先生所宣講的《論語大義》，《論語大義》共有十篇，其中八、九、十等三篇，專門講述《春秋》之要旨，在此三篇之中，馬先生首先提到，「《論語》無一章顯說《春秋》，而聖人作《春秋》之旨，全在其中。至顯說者，莫如《孟子》，《孟子》之後，則董生、司馬遷，能言其大，三傳自以《公羊》為主，《穀梁》

次之，《左氏》述事，同於《國語》而已」❸，此為馬先生自《論語》之中，闡釋《春秋》要旨之原因，其次，馬先生又曾提到，「孟子言天下之生久矣，一治一亂，從禹抑洪水，周公兼夷狄，驅猛獸，說到孔子作《春秋》，以《春秋》為天子之事，又從人之所以異於禽獸者幾希，庶民去之，君子存之，因言舜明於庶物，察於人倫，歷敘禹湯文武周公之德，說到詩亡而後《春秋》作，所謂其義則丘竊取之者，意以孔子作《春秋》，乃所以繼諸聖，《春秋》之義，即諸聖之道也」，因此，馬先生也以為，「學者須先明孟子之言，然後可以求《春秋》之義於《論語》、於《易》，皆可觸類而引申之」，再次，馬先生也提到研治《春秋》的方法，他說，「公羊家謂《春秋》借事明義，此語得之」。

在《論語大義》中，馬先生指出，《春秋》的要旨，約有四項，一是「夷夏進退」、二是「文質損益」、三是「刑德貴賤」、四是「經權予奪」。

---

❶ 馬一浮：《泰和宜山會語合刻》，臺北，廣文書局影印原刻本，民國六十九年十二月臺初版。

❷ 馬一浮：〈通治群經必讀諸書舉要〉，載《復性書院講錄》，臺北，廣文書局影印原刻本，民民五十三年一月初版。

❸ 馬一浮：《論語大義》，載《復性書院講錄》，臺北，廣文書局影印原刻本，民國五十三年一月初版，下引並同。

以下，即就此四項要旨，依據馬先生的提示，加以闡釋。

(一)論夷夏進退義

馬一浮先生《論語大義》云：

《論語》曰：「夷狄之有君，不如諸夏之無也。」此在正名，大義有二科，一正夷夏之名，一正君之名，《春秋》不予夷狄為禮，是以無禮為夷狄也。《春秋》「尊禮而重信，信重於地，禮尊於身」（《繁露．楚莊王篇》），故晉伐鮮虞則狄之（昭十二年），惡其伐同姓也。鄭伐許則狄之（成三年），惡其伐喪叛盟也（成二年，衛侯速卒，鄭師侵之，鄭與諸侯盟於蜀，以盟而歸，諸侯於是伐許），伐喪無義，叛盟無信，無義無信，是夷狄也。

今案《春秋》昭公十二年記曰：「晉伐鮮虞。」《穀梁傳》云：「其曰晉，狄之也，其狄之，何也？不正其與夷狄交伐中國，故狄稱之也。」范寧《穀梁傳注》云：「鮮虞、姬姓，白狄也，地居中山，故曰中國，夷狄，謂楚也。」[4]鮮虞為姬姓之國，與晉同姓，地居中山，而晉以大國，與夷狄之楚，攻伐同姓之國鮮虞（范寧據《春秋》「晉伐鮮虞」前有「楚子伐徐」之文，而以為晉伐鮮虞，乃與楚國同往），其行為之無禮，等同夷狄，故《春秋》以「狄」稱之，意在貶晉以為夷狄也。又案《春秋》成公二年記曰：「庚寅，衛侯速卒。」又記曰：「冬，楚師、鄭師侵衛。」是鄭人藉衛侯之喪，與夷狄之楚，而往伐之。《春秋》成公二年又記曰：「丙申，公及楚人、秦人、宋人、陳人、衛人、鄭人、齊人、曹人、邾人、薛人、鄫人，盟于蜀。」《春秋》成公三年記曰：「（冬，十有一月）鄭伐許。」何休《公羊解詁》云：「謂之鄭者，惡鄭襄公與楚同心，數侵伐諸夏，自此之後，中國盟會無已，兵革數起，夷狄比周為黨，故夷狄之。」❺范寧《穀梁傳注》云：「鄭從楚而伐衛之喪，又叛諸侯之盟，故狄之。」要之，晉鄭雖皆為中夏之國，而晉伐同姓之國，鄭則伐喪叛盟，故《春秋》皆以之為夷狄，故馬一浮先生以為，《春秋》乃「以無禮為夷狄也」。馬一浮先生《論語大義》又云：

❹《春秋穀梁傳注疏》，臺北，藝文印書館影印阮刻《十三經注疏》本，下引並同。

❺《春秋公羊傳注疏》，臺北，藝文印書館影印阮刻《十三經注疏》本，下引並同。

邲之戰，不與晉而與楚子為禮（宣十二年），《繁露》曰：「晉變而為夷狄，楚變而為君子，故移其辭，以從其事。」（〈竹林篇〉）伯莒之戰（定四年），《公羊》曰：「吳何以稱子？夷狄也，而憂中國（善其救蔡），及吳入楚，何以不稱子？反夷狄也（其反夷狄，謂君舍於君室，大夫舍於大夫室，妻楚王之母，惡其無義）。」其進退之速如此，且楚為文王師鬻熊之後，吳為仲雍之後，固神盟之胄也，何以夷之？此見諸夏與夷狄之辨，以有禮義與無禮義為斷，而非以種族國土為別，明矣。

今案《春秋》宣公十二年記曰：「楚子圍鄭，夏，六月，乙卯，晉荀林父帥師，及楚子戰於邲，晉師敗績。」邲之戰，楚勝晉敗，《左傳》記楚莊王勝而能謙，不築武軍，不為京觀，以誌武功，又云，「夫文，止戈為武」，「夫武，禁暴、戢兵、保大、定功、安民、和眾、豐財者也」，「武有七德，我無一焉，何以示子孫」❻，故《公羊傳》以為，楚君有禮，因加稱許，而云：「大夫不敵君，此其稱名氏以敵楚子何？不與晉而與楚子為禮也。」而董仲舒《春秋繁露．竹林篇》也云：「《春秋》無通辭，從變而移，今晉變而為夷狄，楚變而為君子，故移其辭，以從其事。」❼故移變其文辭，對楚君加以稱許。又案《春秋》定公四年記曰：「冬，十有一月，庚午，蔡侯以吳子及楚子戰于伯莒，楚師敗績。」考楚大臣伍子胥之父，為楚昭王所誅，子胥奔吳，時蔡昭公朝於楚，昭公有美裘服，楚大臣囊瓦求之，昭公不與，乃拘昭公，囚之數年，方始歸之，及楚伐蔡，蔡求救於吳，於是吳人從蔡人與楚人戰於伯莒，大敗楚軍，《公羊傳》云：「吳何以稱子？夷狄也，而憂中國。」以為吳雖為邊鄙之國，而能為中原諸侯分其所憂，討伐夷狄之楚，故不稱吳為「人」，而稱為「子」，用以褒之。及吳軍戰勝，《春秋》定公四年又記曰：「楚囊瓦出奔鄭，庚辰，吳入楚。」《公羊傳》云：「吳何以不稱子？反夷狄也，反夷狄奈何？君舍于君室，大夫舍于大夫室，蓋妻楚王之母也。」吳軍乘勝入楚國首都郢城，吳君居楚君之宮，吳大夫居楚大夫之室，吳君以楚君之母為其妻，行為野鄙，故《春秋》逕稱之為「吳」，不復再稱之為「吳子」，以為吳國復返於夷狄之行，故貶之也。《春秋》於吳國，一年之內，或褒之稱「吳子」，或貶之稱「吳」，故馬先生以為，「其進退之速如此」也。

馬一浮先生討論《春秋》要旨，於「夷夏進退」之義，先行舉出「中國進入夷狄」之兩例，又復舉出「夷狄進於中國」之兩例，而總括之以謂，「此見諸夏與夷狄之辨，以有禮義

❻《春秋左氏傳注疏》，臺北，藝文印書館影印阮刻《十三經注疏》本，下引並同。

❼蘇輿：《春秋繁露義證》，臺北，河洛出版社影印清宣統庚戌刊本，民國六十三年三月臺一版，下引並同。

與無禮義為斷，而非以種族國土為別，明矣。」

(二)論文質損益義

馬一浮先生《論語大義》云：

「棘子成曰，君子質而已矣，何以文為？子貢非之曰，文猶質也，質猶文也，虎豹之鞟，猶犬羊之鞟」，「子曰，質勝文則野，文勝質則史，文質彬彬，然後君子」，此可證也。「周監於二代，郁郁乎文哉，吾從周」，復曰，「先進於禮樂，野人也，後進於禮樂，君子也，如用之，則吾從先進」，從周，則疑於棄質，從先進，又疑於棄文，聖人損益之宜，亦是難見，如曰，「麻冕，禮也，今也純，儉，吾從眾。拜下，禮也，今拜乎上，泰也，雖違眾，吾從下」，從儉是質，從下是文，以此求之，略可知也。

「棘子成」一節，見於《論語・顏淵篇》，棘子成乃衛之大夫，彼以為君子之人，專尚本質即可，不必兼尚文采，故子貢惜之，以為棘子成之論君子，意義錯失，而一言既出，已如駟馬難追，子貢以為，文采與本質，重要相同，皆不可少，如君子之行，僅有本質，而無文采，則如虎豹去其皮毛，乃與犬羊去其皮毛，兩不相異，則君子之行，也與小人之行，無所分別了，故馬先生又引《論語．雍也篇》夫子之言，「質勝文則野文，文勝質則史」，以為「文質彬彬」❽，兩者兼具，然後方為君子。馬先生又引《論語．八佾篇》孔子論「周監於二代」之言，以為周在夏商之後，能詳審二代之得失，因而禮樂典制，郁然美盛，故主張「從周」之文，但是，《論語．先進篇》引孔子之言，以為先進之輩，對於禮樂，文質得宜，似較樸野，後進之輩，對於禮樂，文過其質，似近君子，而孔子用之，則寧願依從先進者之行為，然而，比較前引兩章孔子之言，則馬先生以為，若「從周」則不免棄質從文，「若從先進」，又不免棄文從質，則聖人於「損益之宜，亦是難見」，因而，馬先生再引《論語．子罕篇》孔子之言，以為古代行禮，多戴麻布之冕，而現今改戴黑色絲冕，則較為節儉，故孔子也從眾人習慣，戴絲冕以求儉。至於古代君臣相見之禮，臣拜君於堂下，而現今臣拜君於堂上，則臣子之行為，不免有驕泰之色，故孔子寧願違背眾人習慣，仍守拜君於堂下之禮。要之，馬先生以為，「從儉是質，從下是文」，孔子或從質，或從文，隨宜而

---

❽《論語注疏》，臺北，藝文印書館影印阮刻《十三經注疏》本，下引並同。

定，要在注重禮之精義而已，後人以此求之，則於文質損益之用，大略可知。馬一浮先生《論語大義》又云：

《春秋》之所譏絕，大者如魯之郊禘，吳楚之僭王，（哀四年，「晉人執戎曼子赤歸於楚」，《公羊傳》曰：「辟伯晉而京師楚也。」十三年，「公會晉侯及吳子於黃池」，《傳》曰：「吳稱子，主會也，先言晉侯，不與夷狄之主中國也。」《何注》云：「不書諸侯，微辭惡諸侯君事夷狄。」）諸侯背叛，大夫專命，不可殫舉，晉文召王，諱之曰，「天王狩於河陽」，惠廟舞八佾，諱之曰，「初獻六羽」，皆由拜上之漸以啟之也，「三家者以雍徹」，「季氏旅於泰山」，《論語》皆致惡絕之辭，非《春秋》之旨乎！「人而不仁，如禮何，人而不仁，如樂何」，亦為三家之僭言之也。

馬先生又舉出《春秋》中所譏絕之事，如僖公三十一年，《春秋》記曰：「夏，四月，四卜郊，不從，乃免牲，猶三望。」《公羊傳》云：「卜郊，非禮也，卜郊何以非禮？魯郊，非禮也。魯郊何以非禮？天子祭天，諸侯祭土。」郊乃祭天之名，魯君以諸侯而卜天子祭天之日，乃僭越之行，故為非禮。馬先生又舉出哀公四年，晉人以計誘擒戎君曼子赤，以畀於楚，故《公羊傳》釋《春秋》之言「歸于楚」，乃是希望避免世人誤以晉為宗伯之國，又誤以楚為天子也。至於哀公十三年，《春秋》先言晉侯，再及吳子，《公羊傳》則直言乃不贊同夷狄之吳進而為中原諸侯之盟主。僖公二十八年，晉文公實召周天子，隱公五年，於惠公廟，舞六佾（天子八佾，公六佾，諸侯四佾，魯為諸侯，用六佾，僭用公禮），馬先生以為，此皆由於人臣拜君於堂上，逐漸僭越禮制，因而導致諸侯日益驕泰，有以致之。至於《論語・八佾篇》記魯國大夫孟孫、叔孫、季孫三家於家祭完畢，奏天子之「雍」詩以撤祭饌，以及記魯國大夫季孫僭越禮制，行天子祭祀泰山之「旅」祭，《論語》記孔子皆以嚴辭加之。要之，諸侯僭越禮制，孔子予以口誅筆伐，也皆同於《春秋》一書之要旨。馬一浮先生《論語大義》又云：

> 林放問禮之本，子曰：「禮，與其奢也，寧儉，喪，與其易也，寧戚。」按《春秋》作南門（僖二十年），刻桷丹楹（莊二十二年、二十四年）、作雉門及兩觀（定二年）、築三臺（莊三十一年）、新延廄（莊二十九年），皆譏，為其驕溢不恤下，惡奢也。譏文公喪取，按經文，距僖公薨已踰四十一月，何以謂之喪取？以納幣之月在喪分，董生曰：「《春秋》之論事，莫重於志，三年之喪，畢，猶宜未平於心，今全無悼遠之志，是

《春秋》所甚疾也，惡其不戚也。」是知答林放之問，亦《春秋》之旨也，儉與廉，是質，奢與易，是文，此損文以就質，猶棄麻冕而用純也，拜下近文，拜上近質，惡其泰而漸至於僭也，則又損質以就文，於此可見損益之微旨。

《論語・八佾篇》記「林放問禮之本」，孔子回答，以為禮之用，寧取儉戚，不取奢易，至於《春秋》所記僖公「新作南門」，不合古制，莊公「丹桓宮楹」、「刻桓宮桷」，漆桓公廟寢為丹色、刻桓公廟寢之椽柱，定公「新作雉門及兩觀」，復修火災後之雉門及兩觀飾品，以及莊公連續「築臺于郎」、「築臺于薛」、「築臺于秦」，繕修延廄，「新延廄」，《公羊傳》並皆稱「譏」，皆因其驕奢在上，而不恤憫下民之故。又《春秋》僖公三十三年記曰：「十有二月，(僖)公至自齊，乙巳，公薨于小寢。」又文公二年記曰：「(冬)公子遂如齊納幣。」《公羊傳》云：「納幣不書，此何以書？譏，何譏爾？譏喪娶也，娶在三年之外，則何譏乎喪娶？三年之內不圖婚。」故董仲舒《春秋繁露・玉杯篇》亦譏文公喪娶，「惡其不戚也」，故馬先生以為，文之與質，應兩相兼具，適時而用，方才是聖人對於文質損益而用的意旨。馬一浮先生《論語大義》又云：

董生曰：「禮之所重者，在其志，志敬而節具，則君子予之知禮，志和而音雅，則君子予之知樂，志哀而居約，則君子予之知喪，志為質，物為文，文著於質，質文兩備，然後其禮成，文質偏行，不得有我爾之名，不能俱備，而偏行之，寧有質而無文，雖弗能予，禮尚少善之，介葛盧來是也，（僖二十九年春，來，未見公，冬，又來，《公羊何注》云：「不能升降揖讓，進稱名者，夷狄能慕中國，明當扶勉以禮義。」）有文無質，非直不予，乃少惡之，謂州公寔來是也，（桓五年，冬，「州公如曹」，六年，春，書「寔來」，《公羊傳》曰：「謂州公也，謂之寔來，慢之也，曷為慢之？化我也。」《何注》：「行過無禮謂之化，齊人語，謂諸侯相過，至境必朝，今州公過魯而不朝，是慢我也。」）然則《春秋》之為道也，先質而後文，右志而左物，故曰，禮云禮云，玉帛云乎哉！推而前之，亦宜曰，朝云朝云，辭令云乎哉！樂云樂云，鐘鼓云乎哉！引而後之，亦宜曰，喪云喪云，衣服云乎哉！」董生此言，最得其旨，〈樂記〉曰：「窮本知變，樂之情也，著誠去偽，禮之經也。」《春秋》，禮義之大宗，故今謂文質，乃是並用，而非遞嬗，學者以是推之，於聖人損益之道，亦可略窺其微意矣。

馬先生所引董子之言，見於《春秋繁露・玉杯篇》，董子之意，雖曰，「不能俱備」，「寧有質而無文」，但其目標，仍以「質文兩備」，然後許之以「禮成」，是以馬先生也一再強調，「今謂文質，乃是並用，而非遞嬗」，其意要可知也。

㈢論刑德貴賤義

馬一浮先生《論語大義》云：

「陽為德，陰為刑」，《大戴禮》引孔子言，董生對策本此，略曰：「刑主殺，而德主生，陽常居大夏，而以生育長養為事，陰常居大冬，而積於空虛不用之處，以此見天子任德不任刑，刑之不可任以成世，猶陰之不可任以成歲也，為政而任刑，謂之逆天，非王道也（亦見《繁露·陽尊陰卑篇》）。」此其義，出於「為政以德」及「道之以政」二章，《論語》申此義者，隨處可見，如曰，「善人為邦百年，亦可以勝殘去殺矣」，對季康子曰，「子為政，焉用殺」，宰我對哀公問社，「周人以栗，曰，使民戰栗」，孔子惡之，蓋聖人行王政，必極於刑措不用，因惡刑而亦欲去兵，衛靈公問陳，對曰，「軍旅之事，未之學也」，答子貢，明言「去兵」，因惡刑而亦欲去獄訟，〈大學〉引孔子曰，「聽訟，吾猶人也，必也使無訟乎」。

馬先生引孔子「陽為德，陰為刑」之言，引董仲舒「刑主殺，德主生」之言，以為為政之道，必當任德而不任刑，以致於兵爭戰伐獄訟之事，皆非所當貴所當重之事，方屬於仁政王道之行徑。馬一浮先生《論語大義》又云：

> 《春秋》始作丘甲（成九年，「甲，鎧也」，謂使民作鎧），作三軍（襄十一年），始用田賦（哀十二年），皆譏，惡攻戰，因惡盟而善平，其書戰伐甚謹，粗者曰侵，精者曰伐，戰不言伐，圍不言戰，人不言圍，滅不言入，書其重者，伐者為客，見伐者為主，（此猶今日國際戰爭，以先開釁者負責任）雖數百起，必一二書，傷其害所重也，《論語》：「天下有道，禮樂征伐自天子出，天下無道，禮樂征伐自諸侯出，自諸侯出，十世希不失矣，自大夫出，五世希不失矣，陪臣執國命，三世希不失矣。」此實《春秋》之所以作也。

《春秋》成公元年記曰：「三月，作丘甲。」《公羊傳》云：「何以書？譏，何譏爾？譏始丘使也。」《何休注》云：「四井為邑，四邑為丘，甲、鎧也，譏使始丘民作鎧也。」魯成公使丘民作車甲武器，以供戰爭之需，故《春秋》譏之。又《春秋》襄公十一年記曰：

「春，王正月，作三軍。」《公羊傳》云：「三軍者何？三卿也，作三軍何以書？譏，何譏爾？古者上卿下卿，上士下士。」古代諸侯二軍，使上卿下卿領軍，則稱上士下士，今魯襄公始作三軍，故《春秋》譏之。又哀公十二年記曰：「春，用田賦。」《公羊傳》云：「何以書？譏，何譏爾？譏始用田賦也。」魯哀公始按田畝徵稅徵兵，《春秋》譏之。要之，皆由於厭惡戰爭之事也。又《春秋》莊公十年記曰：「二月，公侵宋。」《公羊傳》云：「粗者曰侵，精者曰伐，戰不言伐，圍不言戰，入不言圍，滅不言入，書其重者也。」其意乃指粗略用兵謂之侵，深入敵國謂之伐，故戰爭之事，言戰則不言伐，言圍則不言戰，言入則不言圍，言滅則不言入，皆擇其重大傷害於敵國之事而言之。又莊公二十八年《公羊傳》云：「春秋伐者為客，伐者為主。」《何休注》云：「伐人者為客。」又云：「見伐者為主。」又《春秋繁露·竹林篇》云：「是故戰攻侵伐，雖數百起，必一二書，傷其害所重也。」也謂《春秋》於戰爭之事，必一一依次書而記之，主要以其所造成之災害甚重也。至於《論語·季氏篇》孔子言「天下無道」，禮樂征伐出自「諸侯」、「大夫」、「陪臣」等之手，則逆理違道，愈益加速，天下亂臣賊子，愈益加多，故馬先生以為，孔子《春秋》，亦不得不作也。馬一浮先生《論語大義》又云：

《孟子》曰：「春秋無義戰，彼善於此，則有之。」《繁露·竹林篇》曰：「《春秋》之法，凶年不修舊（新延廄），意在無苦民爾，苦民尚惡之，況傷民乎，傷民尚痛之，況殺民乎！《春秋》之所惡者，不任德而任力。」又曰：「難者曰，《春秋》之書戰伐，有惡有善，惡詐擊而善偏戰，（僖元年，「冬，公子友帥師敗莒師于犁，獲莒拏」，《公羊傳》曰：「大季子之獲也，季子治內難以正，禦外難以正，其禦外難以正奈何？公子慶父弒閔公，走莒，莒人逐之，聞慶父抗輈經死汶水上，因求賄於魯曰，吾已得子之賊矣，魯人不與，於是興師伐魯，季子待之以偏戰。」《何注》：「善季子忿不加暴，得君子之道。」偏戰者，猶今言應戰，非好與人為敵也，人以兵加之，而後戰耳，詐戰，則是背盟而伐人。）恥伐喪而榮復讎，（莊四年，「紀侯大去其國」，《傳》：「何為不言齊滅之？為襄公諱也，《春秋》為賢者諱，何賢乎襄公？復讎也。）奈何以《春秋》為無義戰，而盡惡之？曰，《春秋》之於偏戰也，善其偏，不善其戰，猶其於諸夏也，引之魯則謂之外，引之夷狄，則謂之內，比之詐戰，則謂之義，比之不戰，則謂之不義，故盟不如不盟，然而有所謂善盟，戰不如不戰，然而有所謂善戰，不義之中有義，義之中有不義，辭不能及，皆在於指，非精心達思者，孰能知之。」按董生此言，推闡無義戰之旨最精。

《孟子》以為，「春秋無義戰」，《春秋繁露》則先引詰難者之辭，以為《春秋》惡詐擊而善偏戰，恥伐喪而榮復讎，既有所善所榮之戰爭，則《春秋》並非全然一無義戰可知，故《繁露》以為，《春秋》對於被逼迫起而防衛的戰爭，主要是善其能夠反抗暴力，保家衛鄉的行為，卻不是任意稱許戰爭的行徑，因此，戰爭雖然是不善不義的行為，其中卻有善戰義戰的存在，只有細心體會，才能明瞭《春秋》的意旨。因此，馬一浮先生也舉出僖公元年，公子慶父弒君閔公，出亡莒國，莒國興師向魯國求取賄賂，魯國公子友帥師抵抗，大敗莒師的事件，以及莊公四年，齊襄公能夠打敗紀侯，為九世祖先齊哀公復讎的事件，以說明《春秋》「善偏戰」而「榮復讎」的意義，並稱許董仲舒對於《春秋》「無義戰」的解釋，最為精要。馬一浮先生《論語大義》又云：

《孟子》曰：「王者之師，有征而無戰，湯東面而征，西夷怨，南面而征，北狄怨。」征者正也，以義正之，戰則為敵對之辭，《公羊傳》曰：「王者無敵，故言征不言戰也。」禮樂是德，征伐是刑，禮樂之失，而為僭差，征伐之失，而為攻戰，《春秋》為是而作，故孟子曰：「五伯，三王之罪人也。」董生曰：「《春秋》之辭，有賤者，有賤乎賤者，（哀四年，「盜殺蔡侯申」，《公羊傳》曰：「弒君，賤者窮諸人，此其稱盜何?賤乎賤者也。」)夫有賤乎賤者，則亦有貴乎貴者矣。(言有尤賤尤貴者，如盜賤於人，仁貴於讓。)」推任德不任刑之旨，而後聖人之所貴賤可知也。

《春秋》哀公四年記曰：「春，王二月，庚戌，盜殺蔡侯申。」據《左傳》所記，殺蔡昭侯者，乃蔡大夫公孫翩，而《公羊傳》云：「弒君，賤者窮諸人，此其稱盜以弒何?賤乎賤者也，賤乎賤者孰謂?謂罪人也。」以為弒君之罪大，故貶之稱「人」，至於不稱人而稱「盜」，則是其賤尤有賤於稱「人」者，因此，馬一浮先生以為，聖人主張任德而不任刑，只有從德與刑的差別之處，才可以見出孔子心目中所貴及所賤之事項。

(四)論經權予奪義

馬一浮先生《論語大義》云：

子曰，「可與立，未可與權」，謂虞仲夷逸，「廢中權」，謂管仲，「豈若匹夫匹婦之為諒」，是言權也。「志士仁人，有殺身以成仁，無求生以害仁」，「自古皆有死，民無信不立」，是言經也。「微管仲，吾其披髮左衽矣」，以功則予之，「管仲之器小哉」，「管氏而知禮，孰不知禮」，以禮則奪之，《春秋》之予奪，以此推之，可知也。

《論語・子罕》云：「子曰，可與共學，未可與適道，可與適道，未可與立，可與立，未可與權。」《朱注》云：「權，稱錘也，所以稱物而輕重者也，可與權，謂能權輕重，使合義也。」《論語・微子》引孔子論虞仲、夷逸二人：「隱居放言，身中清，廢中權。」《朱注》謂虞仲、夷逸二人：「隱居獨善，合乎道之清，放言自廢，合乎道之權。」《論語・憲問》云：「子曰，管仲相桓公，霸諸侯，一匡天下，民到于今受其賜，微管仲，吾其被髮左衽矣，豈若匹夫匹婦之為諒也，自經於溝瀆而莫之知也。」豈若匹夫匹婦兩句，指管仲權衡輕重，而不似小民之自剄以求免罪。以上所引，馬先生指為乃孔子論「行權」之處。《論語・衛靈公》云。「子曰，志士仁人，無求生以害仁，有殺身以成仁。」《朱注》云：「理當死而求生，則於其心有不安矣，是害其心之德也，當死而死，則心安而德全矣。」《論語・顏淵》引孔子曰：「自古皆有死，民無信不立。」《朱注》云：「寧死而不失信於民。」以上所引，馬先生指為乃孔子論「守經」之處。至於孔子謂「微管仲，吾其被髮左衽矣」，則是因管仲有大功於中夏民族，故特予稱許，而《論語・八佾》記孔子謂「管仲之器小哉」，「管氏而知禮，孰不知禮」，則是以禮制相衡量，而指斥管仲，而不予以稱許之也。馬先生以為，即就孔子所論「經」、「權」、「予」、「奪」之義，而《春秋》之「經、權、予、奪」要旨，也從而可知。馬一浮先生《論語大義》又云：

> 董生曰：「《春秋》有經禮，有變禮，明乎經變之事，然後知輕重之分，可與適權矣。」（《繁露．玉英篇》）經禮，禮也，變禮，亦禮也，是知達於禮者，乃可與適權，其有達於常而不達於變，達於變而不達於常者，必於禮有未達也，淳于髡以援嫂溺比援天下，自以為達權，《孟子》曰：「天下溺，援之以道，子欲手援天下乎？」言不可以枉道為權也，孔子謂顏子，「用之則行，舍之則藏，唯我與爾有是夫！」是以可與權許之，孟子所謂「禹、稷、顏子、曾子、子思，易地則皆然」是也。

馬先生以為，禮制雖有經禮變禮之異，而必須深通於禮制之義，方能明了於經權之事，《孟子．離婁上》引淳于髡所問「嫂溺，則援之以手乎」，進而問「今天下溺矣，夫子之不援，何也」，故以為「今天下大亂，民遭陷溺，亦當從權以援之，不可守先王之正道也」（《朱注》），而孟子回答則曰，「天下溺，援之以道，嫂溺，援之以手」，孟子以為，「天下溺，唯道可以救之，非若嫂溺可手援也，今子欲援天下，乃欲使我枉道求合，則先失其所以援之之具矣」（《朱注》），是以孟子以為，從權之事，也當以守經為本，而不可枉道以行之，故《論語，述而》中，孔子方以可以行權，稱許顏回，《孟子·離婁下》，孟子才說，「禹、稷、顏回同道」，「易地則皆然」，是以必須先能知常，而後才可以達變，故經權不能相離。馬一浮先生《論語大義》又云：

> 子莫執中無權，賢於楊墨，孟子惡其害道，同於執一，惡鄉原，為其闇然媚於世，自以為知權，則曰，君子反經而已矣（反言復也，《公羊》家說反經為權，或釋為反背之反，非），是知不達於變，其失為子莫，不達於常，其流為鄉原，故君子惡之（惡鄉原甚於惡楊墨），是即《春秋》之所惡也。其予者奈何？曰，一於禮，一於仁而已矣，禮重於身者經也（如予宋伯姬），仁貴於讓者權也（如予司馬子反），賢祭仲而惡逢丑父，其枉正以存君，同也，而榮辱不同理，故予奪異，中權之難如是，非精義入神，不足以知之。桓十一年，「宋人執鄭祭仲」，《公羊傳》曰：「祭仲者何？鄭相也，何以不名？賢也，何賢乎祭仲？以為知權也，莊公死，已葬，祭仲往省於留，塗出於宋，宋人執之，謂之曰，為我出忽，而立突，祭仲不從其言，則君必死，國必亡，從其言，

則君可以生易死，國可以存易亡，少遼緩之，則突可故出，而忽可故反，是不可得則病，然後有鄭國，古人有權者，祭仲之權是也，權者何？反經，然後有善者也，權之所設，舍死亡無所設，行權有道，自貶損以行權，不害人以行權，殺人以自生，亡人以自存，君子不為也。」成二年，「齊侯使國佐如師」，《公羊傳》曰：「佚獲也，其佚獲奈何？師環齊侯，晉郤克投戟逡巡再拜稽首馬前，逢丑父者，頃公之車右也，面目衣服，與頃公相似，代頃公當左，使頃公取飲，頃公操飲而至，曰，革取清者，頃公用是佚而不反，逢丑父曰，吾賴社稷之神靈，吾君已免矣，郤克曰，欺三軍者，其法奈何？曰，法斮，於是斮逢丑父。」

《孟子・盡心上》云：「孟子曰，楊子取為我，拔一毛而利天下，不為也。墨子兼愛，摩頂放踵利天下，為之。子莫執中，執中為近之，執中無權，猶執一也。所惡執一者，為其賊道也，舉一而廢百也。」《朱注》云：「執中而無權，則膠於一定之中而不知變，是亦執一而已矣。」又云：「為我害仁，兼愛害義，執中者，害於時中，皆舉一而廢百者也。」子莫執中，似近於道，而執中無權，不知變宜，故孟子惡其有害於中正之道，與執一無別。《孟子・盡心下》記孟子曰：「閹然媚於世者，是鄉原也。」又曰：「非之無舉也，刺之無刺也，同乎流俗，合乎污世，居之似忠信，行之似廉潔，眾皆悅之，自以為是，而不可與入堯舜之道，故曰德之賊也。」又曰：「君子反經而已矣，經正，則庶民興，庶民興，斯無邪慝矣。」《朱注》云：「反，復也，經，常也，萬世不易之常道也。」鄉原之人，自以為居於狂者狷者之中，自以為合於權變，自以為人莫能非之，而不自知其行為之似是而非，亂德害道，故孟子強調，君子之行，當返回於常經常道。馬一浮先生引述《孟子》之言，而以為人之行徑，不達於權變，不達於常經者，亦皆為《春秋》所惡斥者。馬一浮先生又舉《春秋》桓公十一年，鄭相祭仲在宋人威脅之下，暫廢鄭君昭公忽，而立新君厲公突之事，又舉《春秋》成公二年，晉齊鞌之戰，逢丑父與齊頃公於車上易位，而解救國君之事。兩相比較，而以為《春秋》「賢祭仲而惡逢丑父」，認為二人保存國君之事雖同，而使國君所得，「榮辱不同理」，故對於祭仲及逢丑父之行為，或加稱許，或加貶謫，也自不相同。馬一浮先生《論語大義》又云：

董生曰：「丑父之所為，難於祭仲，祭仲見賢，而丑父見非，何也？祭仲措其君於人所甚貴以生之，丑父措其君於人所甚賤以生之，前枉而後義者，謂之中權，雖不能成，《春秋》善之，魯隱公鄭祭仲是也，前正而後有枉者，謂之邪道，雖能成之，

> 《春秋》不愛，齊頃公逢丑父是也。夫冒大辱以生，賢者不為也，而眾人疑焉，《春秋》以人之不知義而疑也，故示之以義曰，國滅，君死之，正也，正也者，正於天之為人性命也，（按此與《孟子》盡其道而死者正命也，同）天之為人性命，使行仁義，而羞可恥，非若鳥獸然，苟為生，苟為利而已，是故《春秋》推天施而順人理，以至尊為不可以加於至辱大羞，故獲者絕之，以至辱為亦不可加於至尊大位，故失位弗君也，況其溷然方獲而虜邪？其於義也，非君定矣，若非君，則丑父何權矣，故欺三軍，為有大罪於晉，其免頃公，為辱宗廟於齊，是以雖難，而《春秋》弗愛，是以丑父欺而不中權，忠而不中義（謂陷其君於不義）。」董生之論甚精，故引之以助思繹。

鄭國祭仲，齊國逢丑父，皆不以正道，而保全其國君之性命，但《春秋》對之，予奪相異，榮辱不同，董仲舒以為，祭仲「前枉而後義」，「措其君於人所甚貴以生之」，謂之中權，故《春秋》善之，而逢丑父，「措其君於人所甚賤以生之」，使其君「冒大辱以生」，「為辱宗廟於齊」，因以丑父欺而不中權，雖忠於君國，而卻陷其君於不義，故《春秋》弗愛，而《春秋繁露．竹林篇》中所言，馬先生也以為，「董生之論甚精」也。馬一浮先生《論語大義》又云：

程子曰：「何物為權？義也，古今多錯用權字，才說權，便墮變詐或權術，不知權，只是經所不及者，權量輕重，使之合義，才合義，便是經也。」程子此言，尤約而盡（胡文定曰：「變而不失其正之謂權，常而不過於中之謂正。」義亦精審）學者當知經權不二，然後可以明《春秋》予奪之旨，所以決嫌疑，明是非，非精於禮者，未易窺其微意也，《論語》：「君子無適也，無莫也，義之與比。」此經權之本也，「吾無間然」，予之至也，「斗筲之人，何足算哉」，惡之至也，由此以推之，亦可以略知其辨矣。

馬先生以程子所釋「權量輕重，使之合義」，而與《論語・里仁》所引孔子「義之與比」合論，以為此即「經權之本」，故主張「經權不二」，只有權不離經，雖權宜而終必歸之於經，方才是權，如此，然後方可明了《春秋》中或予或奪之意旨，至於《論語・泰伯》所記：「子曰，禹，吾無間然矣，菲飲食，而致孝乎鬼神，惡衣服，而致美乎黼冕，卑宮室，而盡力乎溝洫，禹，吾無間然矣。」《朱注》云：「或豐或儉，各適其宜，所以無罅隙之可議也。」馬先生以為，此乃褒揚之至之言，如稱許大禹之例，至於《論語・子路》所記：「子貢問曰，何如斯可謂之士矣，子曰，行己有恥，使於四方，不辱君命，可謂士矣。曰，敢問其次，曰，宗族稱孝焉，鄉黨稱弟焉。曰，敢問其次，曰，言必信，行必果，硜硜然小人哉，抑亦可以為次矣。曰，今之從政者何如？子曰，噫！斗筲之人，何足算也。」《朱注》云：「今之從政者，蓋如魯三家之屬。」又云：「斗筲之人，言鄙細也。」馬先生以為，此乃厭惡之至之言，如貶謫魯季氏之例。由上述《論語》所記，仔細體會孔子予奪之異，馬先生以為，當可以推知孔子於《春秋》中所以或褒或貶之分別。

三、結語

馬一浮先生《論語大義》云：「上來依《論語》，略說《春秋》義，雖僅舉四門，以一反三，可至無盡。」又云：「文不能離質，權不能離經，此謂非匹不行，用之通變者，應理而得其中，從體起用，謂之自內出。夷必變於夏，刑必終於德，此謂非主不止，用之差忒者，雖動而貞夫一，會相歸性，謂之自外至。一致而百慮，非匹不行也，殊塗而同歸，非主不止也。」馬先生於《論語大義》中，論《春秋》要旨，誦讀之餘，尚有數點，可資記錄。

1.馬先生自《論語》中探尋《春秋》要旨，其意則以《春秋》為孔子所作，而《論語》也記述孔子之言，故兩者可以相互印合，得其旨要，而無間然。

2.馬先生說《春秋》要旨，除與《論語》相印合之外，尤多取《孟子》所論，以為闡釋

《春秋》之基礎，則以為孔子作《春秋》之目的，孟子最能闡明之也。

3.馬先生說《春秋》要旨，除以《孟子》所論為其基礎之外，也多取《公羊傳》、《春秋繁露》之言，以闡釋《春秋》之義蘊，至於《穀梁傳》與《左傳》，則偶加採取，以為輔佐之用而已。

4.馬先生所論《春秋》要旨，雖僅約舉四項，加以「略說」，但《春秋》大義，由此四項，為其綱領，則推明其他，也當比類可知。

5.馬先生於《論語大義》之中，為行文之便利，引文或有刪節，出處或未明著，然也推挹可知，不礙大義之彰明。

6.馬先生於《論語大義》之中，闡釋五經要旨，而於《春秋》一經，講說尤詳，故此文之作，先為表出，以供參稽之用。

（此文原刊於淡江大學《昌彼得教授八秩晉五壽慶論文集》，二〇〇五年二月出版）

❾ 朱熹：《四書集注》，臺北，學海出版社影印本，民國七十三年九月初版。

陸、試論《春秋》「獲麟」之文化史義涵

——以俞樾之說為探索中心

一、引言

《春秋》於魯哀公十四年記載：「春，西狩獲麟。」而孔子所修撰之《春秋》，也於十四年停筆，不再記敘。因此，西狩獲麟，對於孔子絕筆，是否有其影響？如有影響，其關鍵又何所在？對此問題，歷代學者，說多不同，本文之作，對此問題，試作探索，除先引三傳之說，以及歷來較為特殊的說法之外，基本上，是以清人俞樾所論為其基礎，而加以申論。

二、三《傳》之說法

㈠《左傳》之說法

《春秋》哀公十四年記曰：

春，西狩獲麟。

《左傳》曰：

十四年，春，西狩於大野，叔孫氏之車子鉏商，獲麟，以為不祥，以賜虞人，仲尼觀之，曰：「麟也。」然後取之。❶

杜預《注》曰：

> 麟者仁獸，聖王之嘉瑞也，時無明王，出而遇獲，仲尼傷周道之不興，感嘉瑞之無應，故因魯《春秋》而修中興之教，絕筆於獲麟之一句，所感而作，固所以為終也。
>
> 冬獵曰狩，蓋虞人修常職，故不書狩者，大野在魯西，故言西狩，得用曰獲。❷

《春秋》所記「西狩獲麟」，《左傳》指出所狩之地為「大野」，其獲之之人為「車子鉏商」，而哀公以為「不祥」，因以賜之掌山澤之官「虞人」，孔子聞之而往觀之，然後取之，並於《春秋》經中據之而書「西狩獲麟」之句。杜預則引申《左傳》之義，以為「麟者仁獸」，本係聖王之嘉瑞，當時既無明王，卻出而遇獲，故孔子傷周道之不興，感嘉瑞之無應，「故因魯《春秋》而修中興之教，絕筆於獲麟之一句」，以為孔子因感傷仁獸之出不以時，乃始修《春秋》，以正王道，並以哀公十四年獲麟為終。杜預此注，主要在於提出孔子感獲麟而始作《春秋》。孔穎達《左傳正義》曰：「以聖人生非其時，道無所施，言無所用，與麟相類，故為感也。」以解釋孔子感傷仁獸不遇之義。

---

❶《左傳注疏》，臺北，藝文印書館影印阮刻《十三經注疏》本。

❷同注❶。

(二)《公羊傳》之說法

《春秋》哀公十四年記曰：

春，西狩獲麟。

《公羊傳》曰：

何以書？記異也，何異爾？非中國之獸也，然則孰為狩之？薪采者也，薪采者，則微者也，曷為以狩言之？大之也，曷為大之？為獲麟大之也，曷為為獲麟大之？麟者仁獸也，有王者則至，無王者則不至，有以告者曰：「有麕而角者。」孔子曰：「孰為來哉！孰為來哉！」反袂拭面，涕沾袍，顏淵死，子曰：「噫！天喪予。」子路死，子曰：「噫！天祝予。」西狩獲麟，孔子曰：「吾道窮矣。」❸

何休《解詁》曰：

夫子素案圖錄，知庶姓劉季當代周，見薪采者獲麟，知為其出，何者？麟者木精，薪采者，庶人燃火之意，此赤帝將代周居其位，故麟為薪采者所執，西狩獲之者，從東方王於西方也，東卯，西金象也言，言獲者，兵戈文也，言漢姓卯金刀，以兵得天下也。❹

《春秋》西狩獲麟，《公羊傳》僅言「記異」，僅以為「麟者仁獸，有王者則至，無王者則不至」，故孔子傷之，「反袂拭面，涕沾袍」，而曰「吾道窮矣」。而何休《解詁》，則附會孔子已知周室既衰，劉季當興，而為之「豫泣」也。

何休漢將受命之說，孔穎達《左傳正義》已自駁之，曰：「案此時去漢二百七十有餘年矣，漢氏起於匹夫，先無王跡，前期三百許歲，天已豫見徵兆，其為靈命，何太遠乎，言既不經，事無所據，苟佞時世，妄為虛誕。」孔氏所駁，至為切當。

(三)《穀梁傳》之說法

❸《公羊傳注疏》，臺北，藝文印書館影印阮刻《十三經注疏》本。

❹同注❸。

《春秋》哀公十四年記曰：

春，西狩獲麟。

《穀梁傳》曰：

引取之也，狩地，不地不狩也，非狩，而曰狩，大獲麟，故大其適也，其不言來，不外麟於中國也，其不言有，不使麟不恒於中國也。❺

范寧《注》曰：

夫〈關雎〉之化，王者之風，〈麟之趾〉，〈關雎〉之應也，然則斯麟之來，歸於王德者矣，《春秋》之文，廣大悉備，義始於隱公，道終於獲麟。❻

《春秋》所記西狩獲麟，《穀梁傳》所謂「引取之」，指《春秋》書成，麒麟適至，是《春秋》引麒麟而至魯，方始取之，《穀梁傳》又謂「非狩而曰狩，大獲麟」，則是因獲麟而特言「狩」，至於不言「來」，不言「有」，則皆是不以麟為非中國之仁獸。范寧之注，則以〈關雎〉之化與麒麟之來，皆歸於王者之德所感。楊士勛《穀梁傳正義》曰：「其詩，〈周南〉則始於〈關雎〉，篇終於〈麟趾〉，故《春秋》之文，亦義始於隱公之道，終於獲麟。」也是以《詩經》比喻《春秋》，以〈周南〉始於〈關雎〉，終於〈麟趾〉，比喻《春秋》始於隱公，終於獲麟，用相比傳。

三、其他較爲特殊之說法

(一)賈逵、服虔、潁容之說法

孔穎達《左傳正義》曰：

❺《穀梁傳注疏》，臺北，藝文印書館影印阮刻《十三經注疏》本。
❻同注❺。

> 賈逵、服虔、潁容等，皆以為孔子自衛反魯，考正禮樂，修《春秋》，約以周禮，三年，文成致麟，麟感而至，取龍為水物，故以為修母致子之應。[7]

漢人賈逵、服虔、潁容說《春秋》獲麟之義，以為孔子修訂《春秋》三年，既成在先，麒麟乃感應而至在後，以見《春秋》書成，祥瑞乃見，只是，這種說法，孔穎達已自加以反駁，《左傳正義》曰：

> 龍為水物，以其育於水耳，麟生於火，豈其產於火乎？孔子作《春秋》，門徒盡知之矣，丘明親承聖旨，目見獲麟，丘明何以不言？弟子何以不說？子思孟軻，去聖尤近，荀卿著書，尊崇孔德，麟若應孔子而來，著書無容不述，何乃經傳群籍，了爾不言，以其既妖且妄，故杜悉無所取。

孔穎達以為，孔子成《春秋》，乃一大事，門徒當盡人皆知，若《春秋》成書之後，麒麟來見，則弟子門人，不應一無所述，孔穎達《左傳正義》，專疏杜預之注，而杜預於獲麟緣於《春秋》文成之說，並無所取，故孔穎達亦以為賈服之說，乃「既妖且妄」，不可置信。

(二)胡安國之說法

胡安國《春秋胡傳》釋「西狩獲麟」曰：

> 世衰道微，暴行交作，臣弒其君者有之，子弒其父者有之，夫子為是作《春秋》，明王道，正人倫，氣志天人，交相感應之際，深矣，制作文成，而麟至，宜矣。[8]

宋人胡安國的說法，是指《春秋》先成，麒麟乃現，也是經成道備，嘉瑞乃應之事，與賈逵、服虔、潁容等人所說之義相近，所以，胡安國也特別強調，「簫韶九奏，鳳儀于庭，魯史成經，麟出于野，亦常理爾」，特別強調，「何以絕筆於獲麟，其以天道終乎」。

(三)顧棟高之說法

顧棟高〈春秋絕筆獲麟論〉曰：

---

❼ 同注❶。

❽ 胡安國《春秋胡傳》，巴蜀書社影印怡府藏板，明善堂重梓本。

蓋《春秋》之經，因是年請討陳恒之不行而絕筆也，……至十四年之四月，陳恒執其君，置于舒州，六月，行弒，孔子是時年七十一，沐浴請討，而魯之君臣，哆然不應，則是人心死而天理絕，天下無復知簒弒之為非者，于是喟然太息，曰，已矣，無為復望矣，遂輟簡廢業，而是春適有西狩獲麟一事，《春秋》遂以是終焉，是則《春秋》之絕筆者，為大義之不復伸也，豈區區為一物之微而漫託于不可知之氣數哉！❾

清人顧棟高，以為《春秋》絕筆，是因為該年陳恒弒君，孔子請討不行，並非由於獲麟的關係，但是，春秋二百四十二年之間，弒君三十六，亡國五十二，何獨於此，孔子因而輟筆，對於此一疑點，顧氏自身，也已見及，他的解釋是，「春秋之弒君多矣，何獨于陳恒為兢兢，曰，諸國皆遠于魯，孔子是時，猶望大行其道于天下，起而正之」，孔子雖為魯人，齊國大臣陳恒弒其君簡公，《左傳》記載，「孔丘三日齋，而請伐齊，三。」魯哀公以為魯長久以來，弱於齊國，不許伐之，孔子辭退而告人曰：「吾以從大夫之後也，故不敢不言。」是孔子也知伐齊並不可行，則又豈能為此而輟筆《春秋》。要之，陳恒弒君，與《春秋》絕筆，兩事相距過遠，應無必然之關係。

四、俞樾之說法

清人俞樾在〈論西狩獲麟〉一文中曰：

《春秋》之書狩也，桓之四年曰：「公狩于郎。」莊之四年曰：「公狩于禚。」哀十四年，「西狩獲麟」，曰「西狩」而不地，何也？聖人思周道也，《春秋》託始於隱公，實當平王東遷之初，周室東而周道衰矣，孔子曰：「吾其為東周乎。」解者曰，興周道於東方，至其晚年，周公之夢，久不復作，亦知東周之不可為矣，乃退而刪定《詩》、《書》，而於《詩》寓意焉，變風始邶鄘衛而終於檜曹，邶之詩曰：「山有榛，隰有苓，云誰之思，西方美人，彼美人兮，西方之人兮。」檜之詩曰：「誰能烹魚，溉之釜鬵，誰將西歸，懷之好音。」聖人之惓惓於西方如此，蓋歎東周之不可為，而追思西京之盛也。⑩

⑨ 載顧棟高《春秋大事表》，臺北，廣學社影印顧氏原刊本。

⑩ 載俞樾《俞樓雜纂》卷四，《春在堂全書》本。

周平王元年，當西元前七七〇年，遷都洛邑，是為東周之始，周平王四十九年，當西元前七二二年，魯隱公元年，《春秋》編年開始，至西元前四八一年，魯哀公十四年，西狩獲麟，孔子輟筆。孔子生於周靈王二十一年，當魯襄公二十年，西元前五五一年，卒於周敬王四十一年，當魯哀公十六年，西元前四七九年，享年七十二歲，故當孔子中年，已屬春秋晚期，《論語．陽貨》記孔子之言曰：「如有用我者，吾其為東周乎！」是則孔子中年，仍以致用於東周之世，以見用於東方（相對西周鎬京在西），以己身所處之時代，能於當下貢獻一己之心力，以求有裨於民生國計。

孔子一生，欽佩周公制禮作樂，使周道大治，孔子早年，嚮往周公志業，以效法周公之事功自期，日有所思，夜有所夢，故孔子時時夢見周公。孔子晚年，周遊列國，時君世主，無用之者，孔子見己道終不能行，期盼周公志業之心，逐漸衰微，自知西周之道，既不可企盼，東周之道，也不能有所作為，故於夢見周公之事，亦逐漸減少，故《論語．述而》記孔子之言曰：「甚矣，吾衰矣，吾不復夢見周公。」此即是孔子晚年之語。

俞氏以為，孔子心中期盼西周東周之意，既不可行，孔子又亟思周道，乃將西周之理想，寄寓於未來，而期盼西周之盛，終有復興之一日，故引邶風〈簡兮〉詩中「云誰之思，西方美人」，以及檜風〈匪風〉詩中「誰將西歸，懷之好音」之句，以寄託對「西京之盛」

的期盼，故於「西狩獲麟」一事，而寄望於西方之盛世再興。俞樾〈論西狩獲麟〉曰：

> 哀之十四年，西狩而獲麟，麟則聖王之瑞也，西則文武故都之所在也，故不著其地，而曰西焉，猶《詩》之言西方美人也，有西方之美人，而後有西方之麟，孔子若曰，周室其復西乎，其將復見文武成康之盛乎，故書曰，「西狩獲麟」，而遂絕筆乎，是以為文武將復興，而《春秋》可無作也，夫西者，魯之西也，非西周也，聖人借以寓意焉爾。

西狩獲麟，西為魯國之西郊，「聖人借以寓意焉爾」，麟為聖王之瑞，以喻西周將復盛於西方，故《春秋》寄意於是，故可輟筆。

至於詩有變風之說，始於《詩．大序》：「至於王道衰，禮義廢，政教失，國異政，家殊俗，而變風變雅作矣。」孔穎達《毛詩正義》曰：「執彼舊章，覬望更遵王道，所以變詩作也。」大體而言，《詩經》中周南召南為正風，自邶風以下為變風，故俞樾乃引邶風中之〈簡兮〉，檜風中之〈匪風〉，以為變風之例，以說明孔子之期望。

俞樾〈論西狩獲麟〉又曰：

抑又考之哀公元年，歲在大梁，則哀十四年，歲在實沈也，昔武王之伐紂，歲在鶉火，說《尚書》者，以為在武王十三年，而〈書序〉曰：「惟十有一年，武王伐紂。」說者以為是觀兵之年，夫十三年，歲在鶉火，則十一年，歲在實沈也，武王克商，鶉火而伐紂，實始於實沈，而哀十四年，亦與之同，是故論其地則西也，論其年則武王伐紂之年，固周之所以興也，聖人作《春秋》，於其終也，大書曰：「十有四年，春，西狩獲麟。」蓋曰，周且再受命也，故曰思周道也。

古代天文學家，將一周天分為二十八宿，用以觀測日月五星的運行，又將周天分為十二次，由西向東，分別名為壽星、大火、析木、星紀、玄枵、娵訾、降婁、大梁、實沈、鶉首、鶉火、鶉尾，與二十八宿相配，以記錄歲星的行度，俞氏以為，《春秋》所記「西狩獲麟」與武王伐紂，同在實沈之歲，其意義應別有寄寓。俞樾又有〈釋春秋絕筆獲麟〉一文，曾曰：

吾觀《詩》，聖人於變風之末，繫以思治之詩，以示亂之可治，變之可正，又觀《易》，聖人於《屯》之上六，《否》之上九，皆曰「何可長也」，嗚呼，聖人憂天下深而望天下切，如此哉！天下方治也，而聖人之心，則已憂其亂，天下方亂也，而

> 聖人之心，則已望其治，是故《春秋》絕筆於獲麟，思治也。⓫

俞樾於此文中，引《詩經》變風「思治之詩」，又兩引《易經》爻辭「何可長也」，其用意，皆在說明聖人之主旨，乃見西狩獲麟，而心知「天下其庶幾治矣，天下其庶幾有王者出矣」，因而期盼西周之世復興再盛，故《春秋》也以此輟筆而終焉。

五、結語

對於前文所述，約可得出幾項意見：

1.杜預根據《左傳》所論，以為孔子因麟出不以其時，而傷周道不興，嘉瑞無應，乃始修《春秋》，是則孔子於魯哀公十四年感麟而作《春秋》，而孔子卒於哀公十六年，在時間上，或許有此可能。

2.何休根據《公羊傳》所論，以為劉季將代周而興，自屬「妄為虛誕」。

⓫ 載俞樾《俞樓文集》卷三，《春在堂全書》本。

也甚合理。

3.范寧根據《穀梁傳》所論，以為《春秋》書成，麒麟適至，故《春秋》遂終於獲麟，

4.賈逵、服虔、潁容以為魯哀公十一年，孔子自衛返魯，知道不行，《春秋》書成，麒麟乃感應而至，則不免「既妖且妄」。

5.胡安國以為，孔子《春秋》，制作文成，而麒麟適至，亦與賈、服等人之義相近。

6.顧棟高以為孔子請討陳恆弒君，魯君不應，遂輟筆於《春秋》，而麒麟適至，然而，請討陳恆與《春秋》輟筆，兩事相距甚遠，應無必然之關係。

7.顧棟高之說外，其他所述各家說法，皆以孔子修《春秋》，或在獲麟之前，或在獲麟之後，而作論說。

8.俞樾之說，則就「西狩」之「西」字，作為關鍵，而論述孔子藉著獲麟，而寄託其周室將再復興之理想，是則俞氏之說，較具有文化發展史上之理想意義，在各家之外，別樹新義，其說雖不盡可憑信，要自可供參考。

（此文原刊於國立中山大學《第三屆國際暨第八屆清代學術研討會論文集》，民國九十三年三月出版。）

柒、《春秋公羊傳》中顯現之「崇讓」與「惡諼」精神

一、引言

《春秋》本是魯國歷史，孔子借以為筆削寓義之書，《孟子．滕文公上》曰：「世衰道微，邪說暴行有作，臣弒其君者有之，子弒其父者有之，孔子懼，作《春秋》，《春秋》，天子之事也，是故孔子曰，知我者，其唯《春秋》乎，罪我者，其唯《春秋》乎！」《孟子．離婁下》曰：「王者之跡熄而《詩》亡，《詩》亡，然後《春秋》作，晉之《乘》，楚之《檮杌》，魯之《春秋》，一也，其事，則齊桓晉文，其文，則史，孔子曰，其義，則丘竊

取之也。」孟子以為，天下淆亂，邪說暴行繁多，王者之道不彰，孔子乃藉魯史而作《春秋》，賦予新義，以布衣而行天子之事，以為天下儀表，《春秋》之中，有「事」有「文」有「義」，而《春秋》所特重者，尤在其「義」。

《漢書・藝文志》於〈六藝略〉中，著錄《春秋古經》十二篇，又記載說《春秋》之著述有《左氏傳》、《公羊傳》、《穀梁傳》、《鄒氏傳》、《夾氏傳》五種，班固曰：「鄒氏無師，夾氏未有書。」是以《春秋》一經，僅存三傳，三傳之中，《左傳》以記事為主，《公羊傳》與《穀梁傳》以解經為主，記事則期其能夠詳述歷史之事實，解經則要能闡發《春秋》之微言大義。

《史記・太史公自序》曰：「夫《春秋》上明三王之道，下辨人事之紀，別嫌疑，明是非，定猶豫，善善惡惡，賢賢賤不肖，存亡國，繼絕世，補敝起廢，王道之大者也。」因此，孔子作《春秋》，主要是鑑於社會秩序衰頹，人們價值觀念，淆亂不清，所以，才藉著筆削《春秋》，而樹立人倫道德的標準，確定是非誠偽的規範，以作為指示人生進程的路向。

在春秋時代，變亂紛生，道德沉淪，人們競相爭奪，以權謀詭詐相欺凌，因此，在《春秋公羊傳》中，對於謙虛禮讓之行徑，特別加以表彰，對於詭譎詐騙之行為，也特別予以貶斥。因此，「崇讓」與「惡諼」之精神，也時時顯現在《春秋公羊傳》之中。

以下，即就《春秋公羊傳》中，所表彰之謙讓精神，所厭惡之詐欺行徑，枚舉其例，以闡述《春秋》之大義與微言。

二、《春秋公羊傳》中顯現之「崇讓」精神

以下，先論《春秋公羊傳》中之「崇讓」精神，枚舉例證，以見一斑，例如《春秋》僖公二十八年（西元前六三二年）記曰：

> 晉人執衛侯，歸之于京師。❶

《公羊傳》曰：

❶ 《春秋公羊傳注疏》，臺北，藝文印書館影印阮刻《十三經注疏》本，下引《春秋》並同。

歸之于者何？歸于者何？歸之于者，罪已定矣，歸于者，罪未定也。罪未定，則何以得為伯討？歸之于者，執之于天子之側者也，罪定不定已可知矣，歸于者，非執之于天子之側者也，罪定不定未可知也。衛侯之罪何？殺叔武也，何以不書？為叔武諱也，《春秋》為賢者諱，何賢乎叔武？讓國也，其讓國奈何？文公逐衛侯而立叔武，叔武辭立而他人立，則恐衛侯之不得反也，故於是己立，然後為踐土之會，治反衛侯，衛侯得反，曰：「叔武篡我！」元咺爭之，曰：「叔武無罪。」終殺叔武，元咺走而出。此晉侯也，其稱人何？貶，曷為貶？衛之禍，文公為之也，文公為之奈何？文公逐衛侯而立叔武，使人兄弟相疑，放乎殺母弟者，文公為之也。❷

魯僖公二十八年，晉文公將伐曹，假道於衛，衛侯不許，晉遂伐衛，衛侯出奔楚，適楚與晉戰，敗於城濮，衛侯乃適陳，並使大臣元咺奉衛侯之弟叔武，與晉及齊、宋、蔡、鄭、莒等國盟於踐土，晉文公欲立叔武，叔武意欲自己先立，以待衛侯返國，又請於晉文公，使返衛侯，文公許之，及衛侯返國復位，以叔武為篡國，乃殺叔武。晉文公遂執衛侯，使往歸於周天子之京師，《春秋》言「晉人執衛侯」，《公羊傳》以為，言「晉人」，乃貶謫晉文公之使人兄弟相殘，《春秋》言「歸之于京師」，《公羊傳》以為，此則明示衛侯殺弟之罪，即已確定，至於衛侯之罪既已確定，而《春秋》不言叔武被殺者，《公羊傳》以為，叔武有讓國之賢德，賢而被殺，《春秋》不忍言之，故為之隱諱而不明書。

又如《春秋》昭公二十年（西元前五二二年）記曰：

> 夏，曹公孫會自鄸出奔宋。

《公羊傳》曰：

> 奔未有言「自」者，此其言「自」何？畔也，畔則曷為不言其畔？為公子喜時之後諱也，《春秋》為賢者諱。何賢乎公子喜時？讓國也，其讓國奈何？曹伯廬卒于師，則未知公子喜時從與？公子負芻從與？或為主于國，或為主于師。公子喜時見公子負芻之當主也，逡巡而退。賢公子喜時，則曷為為會諱？君子之善善也長，惡惡也短，惡惡止其身，善善及子孫，賢者子孫，故君子為之諱也。

❷ 《春秋公羊傳注疏》，臺北，藝文印書館影印阮刻《十三經注疏》本，下引《公羊傳》並同。

魯成公十三年，曹伯廬卒于師，廬有二子，喜時與負芻，公子喜時，讓國於負芻，及至昭公二十年，喜時之子會叛曹，自曹邑鄸出奔宋，《公羊傳》以為，「君子之善善也長」，「善善及子孫」，故君子為喜時之賢，澤及後裔，而諱言其子之叛，《春秋》記反叛出奔，例不言出自於何地，此特言「自」，意在隱諱會之叛國行為。

又如《春秋》襄公二十九年（西元前五四四年）記曰：

吳子使札來聘。

《公羊傳》曰：

吳無君無大夫，此何以有大夫？賢季子也，何賢乎季子？讓國也，其讓國奈何？謁也、餘祭也、夷昧也，與季子同母者四，季子弱而才，兄弟皆愛之，同欲立之以為君，謁曰：「今若是迮而與季子國，季子猶不受也，請無與子而與弟，弟兄迭為君，而致國乎季子。」皆曰：「諾。」故諸為君者皆輕死為勇，飲食必祝，曰：「天苟有吳國，尚速有悔於予身。」故謁也死，餘祭也立，餘祭也死，夷昧也立，夷昧也死，

> 則國宜之季子者也，季子使而亡焉，僚者長庶也，即之，季子使而反，至，而君之爾，闔廬曰：「先君之所以不與子國，而與弟者，凡為季子故也，將從先君之命與，則國宜之季子者也，如不從先君之命與，則我宜立者也，僚焉得為君乎！」於是使專諸刺僚，而致國乎季子，季不受，曰：「爾殺吾君，吾受爾國，是吾與爾為篡也，爾殺吾兄，吾又殺爾，是父子兄弟相殺，終身無已也。」去之延陵，終身不入吳國，故君子以其不受為義，以其不殺為仁，賢季子，則吳何以有君有大夫？以季子為臣，則宜有君者也，札者何？吳季子之名也，《春秋》賢者不名，此何以名？許夷狄者不壹而足也，季子者所賢也，曷為不足乎季子？許人臣者必使臣，許人子者必使子也。

吳國國君壽夢之子，謁、餘祭、夷昧、季札，四人為同母之兄弟，季札最幼而賢，其兄三人，皆欲立季札為君，故三人商量，君位不傳子而傳弟，則終將傳位予季札，及謁、餘祭、夷昧三人，相繼立為國君又相繼亡卒之後，本應傳位予季札，時季札出使魯國未返，及季札返國，壽夢之庶長子僚已立為君，季札返國，遂也以君禮事僚。吳君壽夢有長子名諸樊，諸樊之長子名闔廬，闔廬見僚立為君，以為如從先君傳弟之命，則季札應立為君，如不從先君傳弟之命，則己身為諸樊之長子，應立為君，故使專諸刺殺王僚，而請季札立為國君，季札不受，以免父子兄弟相殺，乃去之延陵，終身不入吳國，故君子以季札讓國，為能兼具仁義之賢德。春秋之際，吳為邊鄙之國，《春秋》皆不以「君主」「大夫」稱之，及至季札聘於魯國，有讓國之賢，故《春秋》稱吳為「子」，稱季札為「使」，以為有君有大夫，而加以褒獎。

《春秋公羊傳》中，對於「崇讓」精神之重視，其例尚多，此則姑為舉例，以見其義。

三、《春秋公羊傳》中顯現之「惡諼」精神

以下，再討論《春秋公羊傳》中所顯現之「惡諼」精神，《春秋》文公五年（西元前六二四年）記曰：

秋，楚人圍江。

又記曰：

（冬）晉陽處父帥師伐楚救江。

《公羊傳》曰：

此伐楚也，其言救江何？為諼也，其為諼奈何？伐楚為救江也。

魯文公三年秋天，楚國派兵包圍江國，《左傳》曰：「冬，晉以江故，告於周，王叔桓公、晉陽處父，伐楚以救江，門于方城，遇息公子朱而還。」❸《穀梁傳》曰：「此伐楚，其言救江何也？江遠楚近，伐楚所以救江也。」❹《左傳》及《穀梁傳》之意，以為周王叔桓、晉陽處父之伐楚，目的乃為救江，但因江國距離晉國較遠，楚國距離晉國較近，故逕伐楚國，使楚軍不得不解江國之圍，以回師自救楚國，故周晉之軍，進攻楚國方城山之關門，適遇楚國攻江國之主將息公子朱，知江國之圍已解，王叔桓及陽處父，乃各引己軍而還周晉，

---

❸《春秋左傳注疏》，臺北，藝文印書館影印阮刻《十三經注疏》本。

❹《春秋穀梁注疏》，臺北，藝文印書館影印阮刻《十三經注疏》本。

至於《公羊傳》之意，則以為晉軍本以伐楚為目的，卻宣稱伐楚之目的，是為解救江國，其言行不一，故《公羊傳》以晉軍之動，乃是詐諼之行為，而不以之為正當之行徑。

又如《春秋》哀公六年（西元前四八九年）記曰：

秋，七月，庚寅，楚子軫卒，齊陽生入于齊，齊陳乞弒其君舍。

《公羊傳》曰：

弒而立者，不以當國之辭言之，此其以當國之辭言之何？為諼也，此其為諼奈何？景公謂陳乞曰：「吾欲立舍，何如？」陳乞曰：「所樂乎為君者，欲立之則立之，不欲立則不立，君如欲立之，則臣請立之。」陽生謂陳乞曰：「吾聞子蓋將不欲立我也。」陳乞曰：「夫千乘之主，將廢正而立不正，必殺正者，吾不立子者，所以生子者也，走矣。」與之玉節而走之，景公死而舍立，陳乞使人迎陽生于諸其家，除景公之喪，諸大夫皆在朝，陳乞曰：「常之母，有魚菽之祭，願諸大夫之化我也。」諸大夫皆曰：「諾。」於是皆之陳乞之家坐，陳乞曰：「吾有所為甲，諸以示焉。」諸大夫皆曰：「諾。」於是使力士舉巨囊而至于中霤，諸大夫見之，皆色然而駭，開之，則闖然，公子陽生也，陳乞曰：「此君也已。」諸大夫不得已，皆逡巡北面，再拜稽首而君之爾，自是往弒舍。

齊景公愛幼子舍，欲立之為世子，而不欲立長子陽生，問於大夫陳乞，陳乞知景公愛幼子舍，恐景公將廢陽生，故請立舍為世子，並與陽生信符，而使之出行，及景公死，舍立為君，陳乞使人迎陽生至於其家，召諸大夫而宴之，而使力士，舉巨囊至中庭，開囊，則陽生在其中，陳乞乃指陽生謂之為君，諸大夫見力士在旁，知陳乞有備，乃不得已而共立陽生為君，又自陳乞之家而往弒舍，《公羊傳》以為，舍已立為齊君，而陽生之能得立，舍之被弒，皆出於陳乞之「詐謀」，故《春秋》於「陳乞弒其君舍」之上，而加「齊」國之名，以厭惡陳乞之弒君行為，又於「陽生」之上，也加「齊」國之名，以指斥陽生自外入於齊國，以奪君位。

又如《春秋》襄公十四年（西元前五五九年）記曰：

（夏，四月）己未，衛侯衎出奔齊。

衛獻公衎，無禮於大夫，又貪鄙無厭，大夫孫林父與甯殖逐之，獻公出奔齊，衛人立公孫剽為新君。《春秋》襄公二十五年（西元前五四八年）記曰：

衛侯入于陳儀。

《公羊傳》曰：

陳儀者何？衛之邑也，曷為不言入于衛？諼君以弒也。

陳儀為衛國之地，衛獻公使人言於衛君剽，願居陳儀，以為剽之臣，及衛獻公入於陳儀之後，又使人與甯殖之子甯喜謀，以求歸國復位，甯喜許之，《公羊傳》以為，《春秋》記衛侯「入于陳儀」，而不逕言「入于衛」，乃是表示衛侯衎心懷詭譎詐欺，有欲弒君剽之心意存在。《春秋》襄公二十六年（西元前五四七年）又記曰：

春，王二月，辛卯，衛甯喜弒其君剽。衛孫林父入于戚以叛。甲午，衛侯衎復歸于衛。

《公羊傳》曰：

> 此諼君以弒也，其言復歸何？惡剽也，曷為惡剽？剽之立，於是未有說也，然則曷為不言剽之立？不言剽之立者，以惡衛侯也。

衛侯衎在外十二年，既行詐騙，以欺衛君，及其既返陳儀，又與甯喜計謀，使甯喜弒衛君剽，此在衛侯衎，自當有罪，然而，剽乃公孫，本不當立，但既已僭立，衛大夫又未有喜悅其人者，故《公羊傳》以為，《春秋》對於此事，於衛君剽，未嘗書「立」，於衛侯衎，書其「復歸」，兩相對比，乃以剽之立為衛君，同於僭竊，而衛侯衎失眾出亡之過錯，也由是可以見及。

四、結語

《春秋公羊傳》中，對於詐欺行為之厭惡貶斥，其例尚多，此則姑為舉例，以見其義。

《春秋》本是魯國的歷史，但是，經過孔子筆削之後的《春秋》，已經成為「經書」的專稱，孔子作《春秋》，是為後世作經，不是為一代作史，「史」以記事為主，可以據事直書，使優劣立見，「經」有微言大義，需要褒貶是非，俾樹立常則，而三傳之中，《公羊傳》尤其是充滿了文化的理想，道德的判斷。

春秋時代，是非淆亂，道德淪喪，相爭相奪，無時或已，聖人見此，有以憂之，因此，回顧《尚書・堯典》之中，表彰帝堯，強調了「允恭克讓」的美德，至於《論語・里仁》篇中，孔子論禮，也強調了「能以禮讓為國乎，何有」的重要，因此，《公羊傳》對於人們的立身處世，治國君民方面，也格外表彰了《春秋》中崇尚「謙虛禮讓」的品行，去作為人們道德彝倫的準則。

另外，春秋時代，戰事頻仍，爭伐不已，二百四十二年之中，「弒君三十六，亡國五十二，諸侯奔走，不得保其社稷者，不可以勝數」❺，而爭戰之中，人無誠信，詐諼競出，聖人見此，心懷憂慮，因此，《論語・顏淵》記孔子之言曰，「自古皆有死，民無信不立」，也強調了安上治民，胸懷誠信的重要，因此，《公羊傳》對於人們交往之際，心懷詭詐，相互欺騙之行為，也表彰了《春秋》中強烈的厭惡之意。

要之，《春秋》和《公羊傳》，都是充滿文化理想、人倫期盼的典籍，不但是春秋時期的混亂社會，孔子希望藉著《春秋》，去為之建立人道之常則，即使是對於後世的社會，孔子也希望藉著《春秋》，去建立人生的正軌，而「崇讓」與「惡諼」的精神，也應該是其中極為重要的義旨。

（此文於二〇〇四年十一月在佛光大學「第一屆世界漢學中的『春秋學』學術研討會」中宣讀）

---

❺ 見司馬遷：《史記・太史公自序》。

捌、史法與經例——比較錢大昕及劉逢祿兩篇〈春秋論〉中之見解

一、引言

錢大昕，清江蘇嘉定人，生於雍正六年，卒於嘉慶九年，當西元一七二八年至一八〇四年，享年七十七歲。

錢大昕撰有《二十二史考異》、《三史拾遺》、《諸史拾遺》、《元史氏族表》、《元史藝文志》、《四史朔閏考》、《通鑑注辨正》、《疑年錄》、《金石文字跋尾》、《十駕齋養新錄》、《潛研堂文集》、《潛研堂詩集》等書，是乾嘉時期著名的學者。

劉逢祿，清江蘇武進人，生於乾隆四十一年，卒於道光九年，當西元一七七六年至一八二九年，享年五十四歲。

劉逢祿撰有《公羊何氏釋例》、《公羊何氏解詁箋》、《左氏春秋考證》《發墨守評》、《箴膏盲評》、《穀梁廢疾申何》、《論語述何》、《今古文尚書集解》、《書序述聞》、《詩聲衍》、《劉禮部集》等書，是晚清時期著名的學者。

錢大昕較劉逢祿年長約五十歲，二人年歲相差雖不甚多，而二人所處之時代，學風已自有異，錢氏處於乾嘉考據之學鼎盛之際，而劉氏已入於晚清學術逐漸變轉之時。

錢大昕曾撰有《春秋論》一篇，討論《春秋》一書之要旨。劉逢祿也撰有《春秋論》一篇，其中曾經針對錢氏關於《春秋》一書之意見，而提出不同之看法。

本文之作，主要擇取錢氏與劉氏二人對於《春秋》中同一事件而有不同見解之例證，試加比較，並加分析，以彰明錢劉二人對於《春秋》一書不同的立場與觀點。

二、比較（上）

錢大昕〈春秋論〉之一云：

《春秋》，褒善貶惡之書也。其褒貶奈何？直書其事，使人之善惡無所隱而已矣。曰崩，曰薨，曰卒，曰死，以其位為之等。《春秋》之例，書崩書薨書卒而不書死。死者，庶人之稱，庶人不得見於史，故未有書死者。此古今史家之通例，非褒貶之所在，聖人不能以意改之也。魯之桓公、宣公，皆與聞乎弒者也。其生也書公，其死也書薨，無異詞。文姜淫而與聞乎弒者也，其生也書夫人，其死也亦書薨、書小君，無異辭。書薨者，內諸侯與小君之例也，非褒之也，《春秋》不奪之也，然猶可曰此為君諱爾。公子遂之弒其君之子，季孫意如之逐君，皆大惡也，其死也亦書卒，無異辭。書卒者，內大夫之例也，非褒之也，《春秋》不奪之也，然猶可曰此為宗國諱爾。吳、楚，僭王之君；鄭伯寤生，射王中肩者也；宋公鮑，與聞乎弒者也。其生也書爵，其死也書卒，皆無異辭。書卒者，外諸侯之例也，非褒之也，《春秋》亦不奪之也。弒逆之罪大矣，以庶人之例斥之曰死可乎？曰：不可。是諸人者，論其罪，當肆諸市朝，僅僅夷諸庶人，不足以蔽其辜。論其位，則彼固諸侯也，大夫也，夫人也，未嘗一日降為庶人，而我以庶人書之，非其實矣。紀其實於《春秋》，俾其惡不沒於後世，是之謂褒貶之正也。❶

---

❶ 錢大昕：〈春秋論〉，載《潛研堂文集》卷二，上海，商務印書館《四部叢刊》本。

錢氏之意，以為《春秋》雖是褒善貶惡之書，然而，其褒貶之方式，乃是「直書其事，使人之善惡無所隱而已」，而《春秋》中，書崩、書葬、書卒等，乃是「古今史家之通例，非褒貶之所在」，此等書法，並不關涉乎一字之褒貶與奪，錢氏並舉出《春秋》中的一些例子，用以證明其主張。

劉逢祿〈春秋論〉之上云：

> 嘉定錢詹事論《春秋》曰：「《春秋》之法，直書其事，使善惡無所隱而已，魯之桓宣，皆與聞乎弒，其生也書公，其死也書葬，無異詞。文姜淫，而與聞乎弒，其生也書夫人，其死也書葬，無異詞。公子遂弒其君，季孫意如逐其君，亦書卒，無異詞。」應之曰，錢氏以《春秋》無書法也，則隱之不葬，桓之不王，宣之先書子，卒不日，胡為者？公夫人姜氏如齊，去及，夫人孫於齊，去姜氏，夫人氏之喪，自至齊，去姜，胡為者？仲遂在所聞世，有罪不日，意如在所見世，有罪無罪，例日，皆以其當誅而書卒，見宣、定之失刑獎賊也。❷

劉氏認為「錢氏以《春秋》無書法」，其說並不可信，乃針對錢氏所說，擇取其最重要之舉例，加以辨正，以下，即就錢氏與劉氏之意見，加以分析評論。

甲、錢大昕之見解

1.魯隱公十一年，大夫羽父欲求太宰，請於隱公，使殺桓公（隱公異母弟），隱公不許，羽父懼，反譖隱公於桓公，並請弒之，羽父遂使賊弒隱公，而立桓公，是隱公之弒，桓公實曾與聞，而《春秋》於桓公元年，稱「公即位」，於桓公十八年，稱「葬我君桓公」，故錢氏以為，桓公既然與聞隱公之弒，而「其生也書公，其死也書葬」，與一般國君的稱名用詞，並無不同，是即《春秋》直記史實而無涉「書法」褒貶之一例證。❸

2.魯文公有二妃，長妃生子惡及視，次妃生子俀，及長，大夫襄仲欲立俀，魯文公十八年，文公卒，襄仲因得齊惠公之助，乃殺惡及視，而立俀，是為宣公，是殺適立庶，宣公實與聞之，而《春秋》於宣公元年，稱「公即位」，於成公元年，稱「葬我君宣公」，故錢氏以為，宣公既然與聞國君之子被殺，而「其生也書公，其死也書葬」，與一般國君的稱呼用

❷ 劉逢祿：〈春秋論〉，載《劉禮部集》卷三，上海，中華書局《續修四庫全書》影印道光十年刊本。

❸ 本文以下所引之《左傳注疏》、《公羊傳注疏》、《穀梁傳注疏》，皆據臺北，藝文印書館影印阮刻《十三經注疏》本。下引並同。

詞並無不同，是亦《春秋》直記史實而無涉於褒貶「書法」之另一例證。

3.魯桓公十八年，公與夫人文姜如齊，齊襄公與文姜私通，桓公怒，夫人以告襄公，襄公使公子彭生弒桓公於車上，是桓公之弒，文姜實曾與聞，而《春秋》於桓公十八年，稱「公夫人姜氏遂如齊」，於莊公二十一年，稱「夫人姜氏薨」，於莊公二十二年，稱「葬我小君文姜」，故錢氏以為，文姜既然與聞桓公之弒，而「其生也書夫人，其死也書薨，書小君」，與一般國君夫人的稱呼用詞並無不同，因此，也是《春秋》直記史實而無涉於褒貶「書法」之另一例證。

4.魯文公十八年，文公卒，襄仲因得齊惠公之助，乃殺文公之嫡子惡及視，而立庶子倭，是為宣公，襄仲即公子遂，又名仲遂，蓋魯公子，名遂，襄其謚，仲為其字。（參見前文第2條）而《春秋》宣公八年，稱「仲遂卒于垂」，故錢氏以為，「其死也亦書卒」，與一般公卿大夫的用詞並無不同，也是《春秋》直記史實而無涉於褒貶「書法」之另一例證。

5.魯文公卒後，襄仲殺文公嫡子惡及視，而立庶子倭為宣公，大權旁落，大夫季氏，專擅國政，昭公二十五年，季孫意如（季平子）逐昭公，昭公如齊，三十二年，昭公卒于晉地乾候，昭公之弟宋，立為定公，而《春秋》定公五年，稱「季孫意如卒」，故錢氏以為，「其死也亦書卒」，與一般公卿大夫的用詞並無不同，也是《春秋》直記史實而無涉於褒貶

「書法」之另一例證。

在以上所舉出的五項例證之中，錢氏以為，「《春秋》之例，書崩書薨書卒而不書死，死者，庶人之稱」，「此古今史家之通例，非褒貶之所在」，「曰崩曰薨曰卒曰死，以其位為之等」，因此，舉出五項例證，以為弒君逐君之事，本屬罪大惡極，而與聞弒君之人，《春秋》之中，皆於「其生也書公，其死也書薨，無異辭」，於與聞逐君之人，「其死也書卒，無異辭」，因此，錢氏以為《春秋》之中，並無以書崩書薨書卒為「書法」以行其褒貶之事，而《春秋》褒貶善惡之方法，則係「紀其實於《春秋》，俾使其惡不沒於後世」，則係「直書其事，使人之善惡無所隱」，才是「褒貶之正」。

乙、劉逢祿之見解

1.魯隱公之弒，《春秋》隱公十一年記曰：「冬，十有一月，壬辰，公薨。」《公羊傳》云：「《春秋》君弒，賊不討，不書葬。」又云：「公薨，何以不地？不忍言也。」劉氏因而以為，《春秋》僅記「公薨」，而並未書「葬」，又不書「葬」之地，即於此處，以貶謫桓公之實與弒其君，而不於桓公之書「公」書「葬」處貶之。

2.魯文公卒，宣公與聞弒君之嫡子，《春秋》文公十八年記曰：「冬，十月，子卒。」

《公羊傳》云：「子卒者孰謂？謂子赤也，何以不日？隱之也，何隱爾？弒也，弒則何以不日？不忍言也。」魯宣公殺文公之嫡子赤（《左傳》記其名為「惡」），《春秋》不記赤被殺之日期，劉氏據此，用以說明文公嫡子之弒，《春秋》即於嫡子之卒，不書「日」，不忍言「日」之處，以貶謫宣公之實與其弒，而不於宣公之書「公」書「葬」處貶之。

3.魯桓公之弒，夫人文姜實曾與聞，《春秋》桓公十八年記曰：「公夫人姜氏遂如齊。」《公羊傳》云：「公何以不言及夫人，夫人外也，夫人外者何？內辭也，其實夫人外公也。」劉氏據《公羊傳》之說，以為《春秋》不言桓公「及」夫人姜氏遂如齊，乃是由於為桓公避諱，因為夫人文姜已經自外於桓公，因此，劉氏以為，《春秋》於桓公被弒，並非沒有書法，而卻不是於文姜之生稱「夫人」、死稱「薨」處見貶謫，乃是於「公及夫人姜氏遂如齊」之中，去其「及」字，僅書為「公夫人姜氏遂如齊」處，以彰明文姜之罪惡而貶之。

此外，《春秋》莊公元年記曰：「三月，夫人孫于齊。」《公羊傳》云：「夫人何以不稱姜氏？貶，曷為貶？與弒公也」，劉氏據此，以為《春秋》於所記「夫人姜氏孫于齊」之中，不言「姜氏」，而僅書為「夫人孫于齊」，正是對於文姜與聞弒君又遜避於齊國的貶謫之義。

此外，《春秋》僖公元年記曰：「十有二月，丁巳，夫人氏之喪，至自齊。」《公羊傳》云：「夫人何不稱姜氏？貶，曷為貶？與弒公也，然則曷為不於弒焉貶，貶必於重者，莫重乎其以喪至也。」劉氏據此，以為《春秋》於所記「夫人姜氏之喪，至自齊」之中，不言「姜」氏，而僅書為「夫人氏之喪，至自齊」，正是對於文姜與聞弒君的貶謫之義，至於《春秋》何以不在弒君之時貶謫文姜，則《公羊傳》以為，弒君之行為，應於重大事件或重要時刻加以貶謫，才能彰顯其罪甚大，故文姜之喪，乃於僖公自齊返國告廟，方乃書「夫人氏之喪」，用以貶之。

4.襄仲殺文公嫡子之事，其惡甚大，《春秋》宣公八年記曰：「仲遂卒于垂。」《公羊傳》：「仲遂者何？公子遂也，何以不稱公子？貶，曷為貶？為弒子赤貶，然則曷為不於其弒焉貶？於文則無罪，於子則無年。」劉氏以為《春秋》對於公子遂之貶謫，不於文公之時貶，乃因文公在世之時，仲遂並無弒嫡子之罪行，及文公薨，嫡子又未繼立，故於宣公八年襄仲卒時，方加貶之，且又不書「公子」，亦是貶意，而不於襄仲書「卒」處貶之。

劉氏以為，「仲遂在所見世，有罪不日」，《春秋》隱公元年記曰：「公子益師卒。」《公羊傳》云：「何以不日？遠也，所見異辭，所聞異辭，所傳聞異辭。」《公羊傳》所稱三世，謂孔子作《春秋》，已所見及者，為昭定哀三公之事，已所聞知者，為文宣成襄四公之事，已所由傳聞而得者，為隱桓莊閔僖五公之事，何休《解詁》云：「異辭者，見恩有厚薄，義有深淺，時恩衰義缺，將以理人倫，序人類，因制治亂之法。」又云：「於所聞之世，王父之臣，恩少殺，大夫卒，無罪者日錄，有罪者不日。」劉氏據此，因而以為，《春秋》於宣公八年記曰：「仲遂卒于垂。」而不書明所卒之「日」期，正是彰明仲遂有罪，故以不書「日」而貶之。

5.魯昭公二十五年，魯大夫季孫意如逐其君，致昭公薨於異國，季孫之罪極大，《春秋》定公五年記曰：「六月，丙申，季孫隱如卒（《公羊傳》經文作「意如」），《春秋》隱公元年《公羊傳》何休《解詁》云：「故於所見之世，恩已與父之臣尤深，大夫卒，有罪無罪，皆日錄之，丙申，季孫隱如卒是也。」劉氏據此，因而以為，季孫意如卒於定公五年，乃孔子作《春秋》時所見及之事，恩情已深，故意如雖有逐君之罪，而《春秋》仍於其卒，書「丙申」之「日」，而無貶文。

要之，對於錢氏以為《春秋》中不藉書崩書薨書卒以為褒貶「書法」的觀點，劉氏則提出不同的見解，他針對錢氏所舉出之五項例證，提出反證，主要說明，《春秋》書法，並不在於錢氏所舉其人之生也書「公」書「夫人」、死也書「葬」書「卒」處，見其褒貶，見其「書法」，而是在其他相關事蹟、相關經文之紀錄處，展轉配合，以表明其「書法」，以彰顯其褒貶之意義。

三、比較（下）

錢大昕認為《春秋》中不藉書崩書薨書卒以為褒貶「書法」之觀點，基本上見於所撰之〈春秋論〉，此外，錢氏在所撰之《潛研堂答問》卷四之中，也曾經表示了相似的意見，劉逢祿針對錢氏之觀點，也曾加以辨駁。錢氏云：

> 楚商臣、蔡般之弒，子不子、父亦不父也。許止不嘗藥，非大惡，而特書弒，以明孝子之義，非由君有失德。故楚、蔡之君不書葬，而許獨書葬，所以責楚、蔡二君之不能正家也。

又云：

> 宋襄公用鄫子，楚靈王用蔡世子，皆特書之，惡其不仁也，且以徵二君之強死，非不幸也。宋公與夷齊侯光楚子虔，以好戰而弒，晉侯州蒲，以誅戮大臣而弒，經文皆先文以見義，所以為有國家者戒，至深切矣。《左氏傳》曰：「凡弒君稱君，君無道

也，稱臣，臣之罪也。」後儒多以斯語為詬病，愚謂君誠有道，何至於弒，遇弒者，皆無道之君也。❹

錢氏在此文中，舉出五項例證，主要以為，《春秋》於君弒，而「書葬」或「不書葬」處，以及在「特書」處，各有褒貶之意旨存在。

劉逢祿針對錢氏之意，而在自己所撰〈春秋論〉之上云：

錢氏又曰：「楚商臣、蔡般之弒，子不子、父不父也，許止以不嘗藥書弒，非由君有失德，故楚、蔡不書葬，而許悼公書葬，以責楚、蔡二君之不能正家也。宋襄公用鄫子，楚靈王用蔡世子，皆特書之，以惡其不仁，且明二君之強死，非不幸也。」（《潛研堂答問》）正之曰，《春秋》之義，君弒，賊不討，不書葬，未聞有責君不正家者，許止本未嘗弒君，故書葬以赦之，吳、楚之君，徒無書葬之例，至蔡景公，實書葬，三《傳》經文所同，而謂其不書葬，不知所見何《經》也。僖十九年夏，「宋人曹人邾婁人盟于曹南，鄫子會于邾婁，己酉，邾婁人執鄫子，用之」，《經》文瞭然，故《公》、《穀》均指邾、鄫以季姬事相仇為說，如果宋襄用鄫而《經》歸獄邾妻，則《春秋》其誣罔之書書歟？《左氏》經文，亦同《公》、《穀》，而錢氏謂《經》特書之，以著宋襄之罪，又不知所見何《經》也。❺

劉氏此文，則針對錢氏所舉例證，加以辨駁。

以下，即就錢劉二人不同之意見，加以分析比較。

甲、錢大昕之見解

1.《春秋》文公元年記曰：「冬，十月，丁未，楚世子商臣弒其君頵。」此事之起，緣於楚成王時，將立商臣為太子，詢諸令尹子上，子上以為，商臣蜂目而豺聲，乃凶殘之人，不可以立，成王弗聽，而立之，既而又欲立王子職，而黜太子商臣，魯文公元年，商臣以甲兵圍成王，成王自縊。故錢氏以為，商臣子既不子，成王亦父乃不父，故《春秋》於成王之卒，並不書「葬」，用以貶之。

---

❹ 錢大昕：《潛研堂答問》，載《潛研堂文集》卷七。

❺ 同注❷。

2.《春秋》襄公三十年記曰：「夏，四月，蔡世子般弒其君固。」此事之起，緣於蔡景公為太子般娶婦於楚，而景公與之私通，故蔡般遂弒景公。錢氏以為，蔡景公私通太子之婦，亦父不似父，而蔡般弒君，亦子不似子，故《春秋》於景公之卒，並不書「葬」，用以貶之。

3.《春秋》昭公十九年記曰：「夏，四月，戊辰，許世子弒其君買。」又記曰：「冬，葬許悼公。」此事之起，緣於昭公十九年，許悼公染瘧疾之病，五月，戊辰，飲太子止所獻之藥，因而卒，《左傳》記君子曰：「盡心力以事君，舍藥物可也。」亦深惜之。故錢氏以為，悼公之卒，「非由君有失德」，而太子不親嘗藥，也「非大惡」，故《春秋》於悼公，仍書其「葬」。

4.《春秋》僖公十九年記曰：「夏，六月，宋人、曹人、邾婁人，盟于曹南，鄫子會盟于邾婁，己酉，邾婁人執鄫子，用之。」此事之起，緣於宋襄公既與曹人、邾婁人會盟，鄫子未及與盟，乃自會盟於邾婁，襄公使邾文公殺鄫子，用其血以祭祀神明，《左傳》記司馬子魚之言，以為祭祀之舉，本乃為人祈福，而殺人以祭，神孰敢饗，襄公以此求取霸業，不亦難乎。故錢氏以為，《春秋》特書「用之」，乃深惡襄公之不仁也。但《春秋》僖公二十三年記曰：「夏，五月，庚寅，宋公慈父卒。」亦記宋襄公之卒。

5.《春秋》昭公十一年記曰：「冬，十有一月，丁酉，楚師滅蔡，執蔡世子有以歸，用之。」此事之起，緣於楚靈王帥師滅蔡，執其世子有而歸，而殺世子於岡山，《左傳》記楚大夫申無宇之言，以為祭祀之時，五牲尚不能互易使用，更何況以諸侯之子為血祭之用，以為靈王必將後悔。故錢氏以為，楚靈王殺蔡侯世子，以其血祭祀神明，《春秋》特書「用之」，乃深惡靈王之不仁也。《春秋》昭公十三年記曰：「夏，四月，楚公子比，自晉歸于楚，弒其君虔于乾谿。」其後楚靈王受逼於公子比，乃自縊而死。

在以上所舉出的五項例證之中，前三例，錢氏多以被弒之國君，「書葬」或「不書葬」，作為《春秋》褒貶之依據，在後二例中，錢氏則以為，《春秋》對於罪大不仁之君，即以「特書」之方式，加以貶謫，在前三例中，錢氏對於《春秋》之書法，則與其在〈春秋論〉中所持《春秋》不藉書崩書薨書卒以為褒貶「書法」之觀點，已有所差異。

乙、劉逢祿之見解

1.《春秋》文公元年記曰：「冬，十月，丁未，楚世子商臣弒其君頵。」記楚成王為太子商臣所弒，劉氏以為，「《春秋》之義，君弒，賊不討，不書葬」（《公羊傳》、《穀梁傳》於魯隱公之弒，皆云然），成王被弒，商臣尚未伏誅，故《春秋》於楚成王之被弒，不書

「葬」，此與錢氏所云，「責君不正家」，以譏楚成王之不能自正其家人者，無關。

2.《春秋》襄公三十年記曰：「夏，四月，蔡世子般弒其君固。」記蔡景公為太子般所弒，劉氏以為，「《春秋》之義，君弒，賊不討，不書葬」，景公被弒，蔡般尚未伏誅，故《春秋》於蔡景公之被弒，不書「葬」，此與錢氏所云，「責君不正家」，以譏景公之不能自正其家人者，無關。

又《春秋》襄公三十年記曰：「冬，十月，葬蔡景公。」故劉氏以為，「至蔡景公，實書葬，三《傳》經文所同，而謂其不書葬，不知所見何《經》也」，用以駁正錢氏蔡景公不書「葬」之說。

3.《春秋》昭公十九年記曰：「夏，四月，戊辰，許世子止弒其君買。」又記曰：「冬，葬許悼公。」許悼公之卒，《穀梁傳》云：「許世子不知嘗藥，累及許君也。」《公羊傳》云：「葬許悼公，是君子之赦止也，赦止者，免止之罪辭也。」故劉氏以為，「許止本未嘗弒君，故書葬以赦之」，此與錢氏所云，「以明孝子之義，非由君有失德」，亦非盡同。

4.《春秋》僖公十九年記曰：「夏，六月，宋人，曹人，邾婁人，盟于曹南，鄫子會盟于邾婁，己酉，邾婁人執鄫子，用之。」邾婁人執鄫子之事，《春秋》僖公十四年記曰：「夏，六月，季姬及鄫子，遇於防，使鄫子來朝。」又十五年記曰：「九月，公自至會，季姬歸于鄫。」又十六年記曰：「夏，四月，丙申，鄫季姬卒。」考季姬乃魯僖公之女，後嫁於鄫國之君，《公羊傳》僖公十九年何休《解詁》云：「魯本許嫁季姬於邾婁，季姬淫泆，使鄫子請己而許之，二國交忿，（宋）襄公為此盟，欲和解之，既在會間，反為邾婁所欺，執用鄫子，恥辱加於宋無異，故沒襄公，使若微者也，不同於上地，以邾婁者，深為襄公諱，使若不為邾婁事盟，而鄫子自就邾婁，為所執也。」邾婁人既與鄫子有怨尤在心，故「執鄫子，用之」，《穀梁傳》云：「用之者，叩其鼻以衈社也。」是邾婁人執鄫子，殺之，以其血，用為祭祀，實非宋襄公主之，亦非宋襄公「欲和解之」之用心也，故劉氏以為，「邾婁人執鄫子用之，《經》文瞭然」，「《公》、《穀》均指鄫以季姬事相仇為說」，而非宋襄公用鄫子之血以祭祀神明也。故亦以為，錢氏謂「《經》特書之，以著宋襄之罪」，也「不知所見何《經》也」。

5.《春秋》昭公十一年記曰：「冬，十有一月，丁酉，楚師滅蔡，執蔡世子有以歸，用之。」《公羊傳》云：「惡乎用之？用之防也，其用之防奈何？蓋以築防也？」孔廣森《公羊通義》云：「意時有人築隄，善崩潰，殺人釁之。」❻楚靈王滅蔡，殺其世子，用其血以

❻ 孔廣森：《公羊通義》，《皇清經解》本。

祭神明，錢氏以為「惡其不仁」，乃深惡楚靈王不仁之行為。劉氏於錢氏此說，未加辨正，對於《公羊傳》之解說，亦未加使用。

要之，劉氏針對錢氏所舉出之例證，則從不同之方向，加以辨解，加以駁正。

四、結論

錢大昕在其所撰〈春秋論〉之一云：「《春秋》之法，直書其事，使善惡無所隱而已。」因此，直書其事，善惡無隱，是錢氏對於《春秋》褒貶方式最基本的觀點，自然受到前人的影響，《春秋》宣公二年記曰：「秋，九月，乙丑，晉趙盾弒其君夷臯。」《左傳》云：「乙丑，趙穿攻靈公於桃園，宣子未出山而復，太史書曰，趙盾弒其君。」又云：「孔子曰，董狐，古之良史也，書法不隱。」孔子稱贊董狐「書法不隱」，而「直書其事」，與「書法不隱」，意義相近，同時，孔子也首先提出了「書法」一辭，作為史官對於歷史事件及歷史人物評價的書寫用語。

此外，唐代的劉知幾，撰有《史通》一書，對於史官的「書法」，也提出了不少的意見，《史通・直書》云：「史之為務，申以勸誡，樹之風聲，其有賊臣逆子，淫君亂主，苟直書其事，不掩其瑕，則穢跡彰於一朝，惡名被於千載。」《史通・申左》云：「至於實錄，付之丘明，用使善惡必彰，真偽盡露。」《史通・惑經》云：「善惡必書，斯為實錄。」❼劉幾所說的史學主張，像「直書其事」，「善惡必書」等，對於錢氏觀點的形成，自然也曾產生不少的影響。

劉逢祿在其所撰〈春秋論〉之上云：「《左氏》詳于事，而《春秋》重義，不重事，《左氏》不言例，而《春秋》有例，無達例。」劉氏認為《春秋》重義，《春秋》有例，故特別重視解釋《春秋》經義之《公羊傳》，撰有《公羊何氏解詁箋》、《公羊何氏釋例》等書，以求發明《春秋》之「義」與「例」。

《禮記・經解》云：「屬辭比事，《春秋》教也。」以為會合眾辭，比次史事，使人合而觀之，參互見義，方是《春秋》的教化精神，劉逢祿〈春秋論〉之上云：「《春秋》有例，無達例。」又云：「唯其無達例，故有貴賤不嫌同號，美惡不嫌同辭。」無達例，謂無通達不變之例。

考《春秋》隱公七年記曰：「滕侯卒。」《公羊傳》云：「何以不名？微國也，微國則

❼ 劉知幾：《史通》，臺北，中華書局，《四部備要》本。

其稱侯何？不嫌也，《春秋》貴賤不嫌同號，美惡不嫌同辭。」春秋五等爵位，公侯伯子男，侯本大國之名，則滕侯之卒，理當稱名，《公羊傳》指滕本小國，然而小國又何以稱侯？何休《解詁》云：「滕侯卒，不名，下常稱子，不嫌稱侯為大國。」又云：「貴賤不嫌者，通同號稱也，若齊亦稱侯，滕亦稱侯，微者稱人，貶亦稱人，皆有起文，貴賤不嫌同號是也。」貴賤通同號稱，因為各有起文，互相補參，其義不致相淆，而《春秋》正於此等處，以見其褒貶之用意。徐彥《公羊傳注疏》云：「滕侯卒，不名，下恆稱子，起其微也，齊侯恆在宋公之上，起其大也。」陳立《公羊義疏》云：「下常稱子，桓二年滕子來朝是也，後此常稱子，知實子爵，故不嫌為侯，此稱侯者，自有別義。」❽滕實子爵，《春秋》稱侯，自有別義，此別義，即褒之是也。

至於《公羊傳》所謂「美惡不嫌同辭」，何休《解詁》云：「若繼體君亦稱即位，繼弒君亦稱即位，皆有起文，美惡不嫌同辭是也。」徐彥《公羊傳注疏》云：「前君之薨，書地者，起其後即位者，是繼體之君也，若前君薨，不地者，起其後即位者，非是繼體之君也。」繼體君可美，繼弒君可惡，兩者繼立，皆稱「即位」，似美者惡者可以同辭，實則，《春秋》非不分美惡，只是，其分美惡，不於「即位」一辭分之，乃於前君之薨，書地不書地處分之，也即於此等參互見義之處，以見褒貶也。

綜合錢劉二人對於《春秋》之見解，約可得到幾項重點，略述於下：

1.錢大昕與劉逢祿二人，各自撰有〈春秋論〉，在此二文之中，兩人對於《春秋》之見解，有相同者，也有相異者，其相同者，在二人皆以為《春秋》中有褒貶，其不同者，在錢氏以為，《春秋》褒貶之方法，在「直書其事」，使「善惡自見」，而劉氏以為，《春秋》褒貶之方法，在「屬辭比事」，以「參互見義」。

2.錢氏之意，以為《春秋》之中，凡書崩書薨書卒等，乃古今史家自古相承之通則，並不關涉於一字之褒貶與奪。而劉氏之意，則以為《春秋》之中，凡書地不書地，書日不書日等，皆有其一貫之義例，也關乎一字之褒貶與奪，由此，劉氏進而且認為「錢氏以《春秋》無書法」。

3.就學術流派而論，錢氏於吳縣惠棟，嘗執經問難，二人關係，在師友之間，惠氏之學，在經學史上，屬於古文經學。而劉氏曾從學於常州莊存與，莊氏在經學史上，屬於今文經學。其於《春秋》之學，古文經學，注重《左傳》，今文經學，注重《公羊傳》。故錢氏所論，多據《左傳》記事，以申論史法。而劉氏所論，多據《公羊傳》之說，以發明經例。

---

❽ 陳立：《公羊義疏》，臺北，中華書局，《四部備要》本。

4.錢氏為學，本長於「史」，故其於《春秋》一書，亦多自史學之觀點，求其實錄，以申論史家之通則，而不就一字一例，定其善惡之褒貶。而劉氏之學，本長於「經」，故其於《春秋》之中，會比衆辭，推尋義例，以探索微言大義之所在。要之，錢劉二人，尚論《春秋》，其立足點，也自有此「史家」與「經生」之異趣者在。

5.錢氏在其〈春秋論〉中所舉之例證，旨在證明《春秋》不藉書崩書薨書卒以為褒貶之「書法」，錢氏在其《潛研堂答問》中所舉之例證，對於《春秋》中有關書法之立場，已稍有不同，兩者之間，似見矛盾。

6.錢氏於其〈春秋論〉中，尚曾論及朱子《通鑑綱目》、正統論等問題，劉氏於其〈春秋論〉中，也嘗有與之相應之意見，以其與《春秋》本身，相距稍遠，此文暫不予以評論比較。

五、附　考

一九七六年三月，上海中華書局出版之《魏源集》中，收有魏氏所撰之〈公羊春秋論〉一文，分上下兩篇，而光緒四年八月淮南書局刊印之魏源《古微堂內外集》中，則未曾收有此文。

中華書局出版之《魏源集》，說明〈公羊春秋論〉一文，乃據魏源《古微堂文稿》，而收入《魏源集》中。

今取《魏源集》中〈公羊春秋論〉一文，與劉逢祿所撰之〈春秋論〉一文，兩相比勘，則相異之處極少❾，實應屬於相同之一篇文章，而分見於劉魏二人集中者，則該文究竟應出於何人之手？

依據王家儉教授所著之《魏源年譜》❿，以及一九七九年北京中華書局出版李瑚所撰之《魏源詩文系年》，魏源生於西元一七九四年，卒於西元一八五七年，而劉逢祿生於西元一七七六年，卒於西元一八二九年，劉氏較之魏氏年長十八歲。

嘉慶十九年（西元一八一四年），魏源二十一歲，曾隨同劉逢祿研治《春秋公羊》學。

道光六年（西元一八二六年），魏源三十三歲，赴京會試，劉逢祿適為試官，曾評閱試卷，得魏源、龔自珍卷，薦之主試，未獲錄取，劉氏曾撰有〈兩生行〉一詩，為此惜之。

道光九年（西元一八二九年），魏源三十六歲，撰成《董子春秋發微》、《詩古微》。是

---

❾ 兩文文字相異處雖極少，但如劉逢祿：〈春秋論〉之上云：「宣之先書子卒不日」，《魏源集》中〈公羊春秋論〉之上作「宣之篡先書子卒不日」，宣下多一「篡」字，則關係頗大。

❿ 王家儉：《魏源年譜》，中央研究院近代史研究所專刊之二十一，民國五十六年初版。

年八月十六日，劉逢祿卒，魏源為之校刊遺書。

道光十年（西元一八三〇年），魏源三十七歲，校刊劉氏遺書竣事，魏源並為《劉禮部集》撰敘。

然而，前舉《魏源年譜》及《魏源詩文系年》二書，皆不言魏源有〈公羊春秋論〉一文之作。

《古微堂文稿》，當係魏源生前未曾編定之作品，魏源於編定劉逢祿之遺書時，或因心喜《公羊》之學，抄錄劉氏〈春秋論〉，以備研索省覽之用，而編刊《古微堂文稿》者，以為該文為魏氏所作，一併入於文稿之中，又為中華書局新編排印《魏源集》者收入集中，也未可知。

經檢尋林慶彰教授所主編之《經學研究論著目錄》（一九八八－一九九二），得知蔣康先生撰有〈魏源集中「公羊春秋論」一文發覆〉，載一九八八年三月北京出版之《書品》一期（總九期），當與拙稿此節所論有關，匆忙之際，也未能尋覓得見，只有俟諸異日，再求寓目！

（此文於二〇〇二年十二月六日在中央研究院中國文哲研究所「常州學者的經學研究第二次研討會」中宣讀）

玖、陳澧「《春秋》學」析評

一、引言

陳澧，字蘭甫，廣東番禺人，生於清嘉慶十五年（西元一八一〇年），卒於光緒八年（西元一八八二年），享年七十三歲。蘭甫先生為晚清時代著名之學者，所著《東塾讀書記》，尤為其考求經學大義之重要著述。

《東塾讀書記》初名《學思錄》，始撰於咸豐六年（西元一八五六年），至同治十二年（西元一八七一年），始改名為《東塾讀書記》，《東塾讀書記》預計為二十五卷，光緒五年（西元一八七九年）所刻成者，僅得十五卷，另十卷則未完成。

《東塾讀書記》第十卷中，蘭甫先生專論《春秋》及三《傳》之學，共計有五十三條之多。筆者此文之作，即就該卷所記，分析蘭甫先生對於《春秋》及三《傳》學術之主要見解，進而並對蘭甫先生所論《春秋》之學，在晚清經學史上之地位，作出評論。

二、析評

㈠論《春秋》始於魯隱公之意義

《春秋》據魯史以編年記事，始於魯隱公元年，終於魯哀公十四年，凡二百四十二年，至於《春秋》記事，何以始於魯隱公之時？則蘭甫先生別有所見，《東塾讀書記》卷十之第一條云：

《孟子》曰：「世衰道微，邪說暴行有作，臣弒其君者有之，子弒其父者有之，孔子懼，作《春秋》，《春秋》，天子之事也，孔子成《春秋》而亂臣賊子懼。」《春秋》之所以作，孟子此數語既明之矣。其始於隱、桓，何也？春秋之前，魯幽公之弟魏公，弒幽公而自立，懿公之兄子伯御，弒懿公而自立。(見《史記·魯世家》)《春秋》不始於彼者，周宣王伐魯，殺伯御而立孝公。（亦見〈魯世家〉）是時天子尚能治亂賊也。至隱公為桓公所弒，天子不能治之，此則孔子所以懼而作《春秋》也。（《史記・周本紀》平王四十九年，魯隱公即位，桓王八年，魯殺隱公，太史公書此於〈周本紀〉者，此為《春秋》所以作故也。）《穀梁》隱元年《傳》云：「公何以不言即位？成公志也，將以讓桓也。讓桓正乎？曰，不正，隱不正而成之，何也？將以惡桓也。」桓元年《傳》云：「桓，弟弒兄，臣弒君，天子不能定，諸侯不能救，百姓不能去，以為無王之道，遂可以至焉爾，元年有王，所以治桓也。」然則《春秋》始於隱、桓，為惡桓弒隱，而孔子以王法治之，大義昭然矣，此所謂《穀梁》善於經歟。❶

孔子作《春秋》，編年記事，始於魯隱公元年，蘭甫先生以為，孔子之意，乃在警惕亂臣賊子，蓋因《春秋》魯隱公十一年，隱公之弟桓公，弒隱公而自立，桓公以弟弒兄，以臣弒君，而周平王又不能如周宣王之誅殺亂賊，定治諸侯，故孔子由是而懼，故作《春秋》，始

❶ 陳澧：《東塾讀書記》，臺灣商務印書館，一九九七年臺二版，下引並同。陳澧此書，每卷之中，所收各條札記，並未標號，本文所舉條號，乃筆者所加，以醒眉目。

於隱公，藉以明示後世，桓公弒君之事，《東塾讀書記》卷十之第二條云：

晉董狐書「趙盾弒其君」，齊太史書「崔杼弒其君」，魯桓公弒隱公，《春秋》但曰「公薨」，而孟子顧以為亂臣賊子懼，何也？董狐非趙氏臣也，齊太史非崔氏臣也，可以直書也，孔子為魯臣，於其先君之篡弒，不可直書也。魯之舊史，雖有如南董者，於隱公之弒，書公子翬而已矣，無以見桓公之罪惡矣。孔子修之，削去弒君者之名，但書「薨」而不書地，則與正終者異矣。隱公不書葬，桓公書即位，其為桓公弒隱公，不待言而明矣。此南董之筆，所不能到者也。趙盾崔杼弒君，而不篡國，南董能懼之，魯桓公弒君篡國，雖南董不能懼之，惟孔子乃能懼之。

蘭甫先生以為，董狐為晉臣而非趙氏之臣，故可以直書「趙盾弒其君」，齊太史為齊臣而非崔氏之臣，故可以直書「崔杼弒其君」，而孔子為魯臣，不當直書己君之弒，故僅能書隱公之「薨」而不書薨於何地，又於隱公不書「葬」，而於桓公即書「即位」，以曲顯桓公弒隱公之罪惡，故孔子修《春秋》，乃始於魯隱公，「始於隱、桓，為惡桓弒隱」，也用以警惕後世人臣，弒君之罪，不容於誅也。

(二)論欲明《春秋》之義，必先考《春秋》之事

《春秋》之中，有事有文有義，其事則齊桓晉文，其文則為史實，其義，則孔子自謂丘竊取之矣❷，蘭甫先生以為，欲明《春秋》之義，必先詳知《春秋》之史事，方不為蹈虛之言，《東塾讀書記》卷十之第十六條云：

> 夫《春秋》所重者，固在其義，然聖人所謂竊取之者，後儒豈易窺測之，與其以意窺測，而未必得，孰若即其文其事，考據詳博之有功於經乎！

《春秋》三傳之中，記事之詳審，莫如《左傳》，故蘭甫先生以為，研治《春秋》，必先考究《左傳》所記之事，《東塾讀書記》卷十之第七條云：

> 陸氏《纂例》云：「《左氏》功最高，能令百代之下，頗見本末，因之求意，經文可知。」

❷ 見《孟子注疏》，〈離婁下〉，臺北，藝文印書館影印阮刻《十三經注疏》本。

又卷十之第五十三條云：

黃楚望云：「凡《左傳》於義理時有錯謬，而其事皆實，若據其事實，而虛心以求義理至當之歸，則經旨自明。」

蘭甫先生所引陸氏之說，見於唐人陸淳之《春秋纂例》，所引黃楚望（澤）之說，見於元人趙汸之《春秋師說》，皆主研索《春秋》之義，必先詳考於《左傳》所記之史事，而後探究《春秋》之義理，方有依據，至於棄傳而求經，則是蘭甫先生最為反對之行為，《東塾讀書記》卷十之第五十一條云：

不信三《傳》，始於唐人，韓文公〈寄盧仝詩〉云：「《春秋》三傳束高閣，獨抱遺經究終始。」蓋經學風氣，自唐而變，而遠溯其源，則《春秋繁露》，已有「無傳而著」之語矣。（見〈竹林篇〉）然其所謂「無傳而著」者，齊頃公伐魯伐衛，大國往聘，慢其使者，晉、魯、衛、曹四國，大困之於鞌，自是頃公恐懼，卒終其身，國家安甯也。然慢聘使之事，不見於《經》，無《傳》，何由著乎？董生之說，已不可

> 通，況後儒乎。試問之曰，使有《經》而無《傳》，何由知隱公為惠公之子，桓公之兄乎？何由知弒隱公者為誰乎？此可以爽然自失矣。

蘭甫先生以為，研治《春秋》，「欲知其義，必知其事，斷斷然也」❸，設使《春秋》有《經》而無《傳》，則舉凡春秋之事實，尚不能知，又何以能知曉《春秋》之意義？此與《四庫提要》經部小序所謂，「刪除事跡，何由知其是非，無案而斷，是《春秋》為射覆矣」，其義相同。❹

㈢論《左傳》為解《春秋》而作

《春秋》三傳，《左傳》以記事為主，《公羊傳》與《穀梁傳》以解經為主，其在西漢時代，《公羊傳》為今文學，先立於學官，而《左傳》為古文學，未立於學官，自此之後，《左傳》是否為解經而作？歷代學者，爭議不息，《東塾讀書記》卷十之第六條云：

---

❸ 見陳澧：《東塾讀書記》卷十之第二十條。

❹ 拙稿〈「春秋三傳東高閣，獨抱遺經究終始」？——盧仝《春秋摘微》析評〉，載國立中興大學《文史學報》第三十期，可資參閱。

漢博士謂《左氏》不傳《春秋》。(《漢書·楚元王傳》後〈劉歆傳〉。)晉王接謂《左氏》自是一家書，不主為經發。(《晉書》本傳。)近時劉申受云：「《左氏春秋》，猶《晏子春秋》、《呂氏春秋》也，冒曰《春秋左氏傳》，則東漢以後之以訛傳訛者矣」。(《左氏春秋考證》。)澧案《漢書·翟方進傳》云：「方進雖受《穀梁》，然好《左氏傳》。」此西漢人明謂之《左氏傳》矣，或出自班孟堅之筆，冒曰《左氏傳》歟，然翟方進受《穀梁》，而好《左氏》，《穀梁》是傳，則《左氏》非傳而何哉！《左傳》記事者多，解經者少，漢博士以為解經乃可謂之傳，故云《左氏》不傳《春秋》。(《公羊》定元年傳云：「主人習其讀而問其傳」。何注云：「讀謂經，傳謂訓詁。」此可見漢人所謂傳者，訓詁解經也。)然伏生《尚書大傳》，不盡解經也，《左傳》依經而述其事，何不可謂之傳。(傳猶注也，裴松之注《三國志》，但詳述其事，可謂其非注乎？)且左氏作《國語》，自周穆王以來，分國而述其事，其作此書，則依《春秋》編年，以魯為主，以隱公為始，明是《春秋》之傳，如《晏子春秋》、《呂氏春秋》，則雖以訛傳訛，能謂之《春秋晏氏傳》、《春秋呂氏傳》乎？

經學史上，今文經之學者，多主張《左傳》不解《春秋》，此種觀點，至於清代常州學派之劉逢祿（申受），最為堅持，而蘭甫先生，則不信劉逢祿等人之說，而引《漢書・翟方進傳》，以《穀梁傳》與《左氏傳》對舉為例，更舉《晏子春秋》與《呂氏春秋》不得謂之為《春秋晏氏傳》及《春秋呂氏傳》為例，以反駁劉逢祿之說，而肯定《左傳》，雖然記事較多，仍當為解釋《春秋》經而作者。

自《左傳》成書以來，討論《左傳》為經為史，究屬解經與否，意見紛歧，莫衷一是，降及清代，劉逢祿撰《左氏春秋考證》，以為《左氏春秋》只是如同《晏子春秋》、《呂氏春秋》一類之子書作品，經由劉歆、賈逵二人先後牽引比附《春秋》，才成為解經的作品，其說影響極大。而蘭甫先生對於劉逢祿的駁斥，言詞雖然簡單，取證卻極為堅確，對於《左傳》解經的見解，關係於後世對《左傳》性質之看法者，也甚巨大。[5]

(四)論《穀梁傳》成書當在《公羊傳》之後

---

[5] 徐復觀先生有〈原史——由宗教通向人文的史學的成立〉一文，載於所撰《兩漢思想史》卷三之中，在該文中，徐先生論及左丘明「以史傳經」的形式有四，第一種是以補《春秋》者傳《春秋》，第二種是以書法的解釋傳《春秋》，第三種是以簡捷的判斷傳《春秋》，第四種是以「君子曰」的形式，發表自己的意見。似此一類主張《左傳》解經的看法，為數尚多。

《公羊傳》與《穀梁傳》，皆為解《春秋》經而作，但是，二傳之中，卻有不少文字義理，有相似或相同之處，因此，二傳之作，何者在前，何者在後，便有了誰因襲誰之問題產生，《東塾讀書記》卷十之第十七條云：

鄭君云：「《穀梁》近孔子，《公羊》正當六國之亡。」（〈王制疏〉引〈釋廢疾〉）《釋文．序錄》則云：「公羊高受之於子夏，穀梁赤乃後代傳聞。」澧案宣十五年，《公羊傳》云：「多乎什一，大桀小桀，寡乎什一，大貉小貉。」此用孟子語。《公羊》當六國之亡，此其證也，僖二十二年《穀梁傳》云：「故曰禮人而不答，則反其敬，愛人而不親，則反其仁，治人而不治，則反其知。」此亦用孟子語，則不得先於《公羊》也，且《穀梁》不但不在《公羊》之先，實在《公羊》之後，《釋文．序錄》之言是也。莊二年，「公子慶父帥師伐於餘丘」，《公羊》云：「邾婁之邑也，曷為不繫乎邾婁？國之也，曷為國之？君存焉爾。」《穀梁》云：「公子貴矣，師重矣，而敵人之邑，公子病矣，其一曰，君在而重之也。」劉原父《權衡》云：「此似晚見《公羊》之說而附益之。」（隱二年，「無亥帥師入極」，八年，「無亥卒」，《穀梁傳》，皆兩說，劉氏亦以為《穀梁》見《公羊》之書，而竊附益之。）澧案更有可證者，文十二年，「子叔姬卒」，《公羊》云：「此未適人，何以卒？許嫁矣。」《穀梁》云：「其曰子叔姬，貴也，公之母姊妹也，其一傳曰，許嫁以卒之也。」此所謂「其一傳」，明是《公羊傳》矣。宣十五年，「初稅畝，冬，蝝生。」《穀梁》云：「蝝，非災也，其曰蝝，非稅畝之災也。」此《穀梁》駁《公羊》之說也，《公羊》以為宣公稅畝，應是而有天災，《穀梁》以為不然，故曰「非災也」，駁其以為天災也，又云：「其曰蝝，非稅畝之災也。」駁其以為應稅畝而有此災也。（范注云，「緣宣公稅畝，故生此災以責之，非，責也。」此范說文義難通。）其在《公羊》之後，更無疑矣。（定三年、哀十年、十一年，《公羊》皆無傳。定五年、六年、七年、九年，《公羊》每年只有傳一條。《穀梁》亦然，此尤可見《穀梁》之因於《公羊》也。）

蘭甫先生在此條之中，先引陸德明《經典釋文・序錄》之語，以為「公羊高受之於子夏，穀梁赤乃後代傳聞」，以為公羊高先於穀梁赤之證據，又以《公羊傳》與《穀梁傳》雖然皆引孟子之言，則仍當有先後之分，然後又引《春秋》所記之事，而比較《公羊》、《穀梁》二傳解經文詞之異同，而證明《公羊傳》成書當在《穀梁傳》之前，而《穀梁傳》於文公十二年解經，更有「其一傳曰」，尤可證明《穀梁傳》在《公羊傳》之後。《東塾讀書記》卷十之第十八條云：

《公羊》、《穀梁》，二傳同者，隱公不書即位，《公羊》云：「成公意。」《穀梁》云：「成公志。」「鄭伯克段于鄢」，皆云「殺之」，如此者不可枚舉矣。僖十七年夏，「滅項」，《公羊》云：「孰滅之？齊滅之，曷為不言齊滅之？《春秋》為賢者諱，此滅人之國，何賢爾？君子之惡惡也疾始，善善也樂終，桓公嘗有繼絕存亡之功，故君子為之諱也。」《穀梁》云：「孰滅之？桓公也，何以不言桓公也？為賢者諱也，既滅人之國矣，何賢乎？君子惡惡疾其始，善善樂其終，桓公嘗有存亡繼絕之功，故君子為之諱也。」此更句句相同，蓋《穀梁》以《公羊》之說為是，而錄取之也。《穀梁》在《公羊》之後，研究《公羊》之說，或取之，或不取，或駁之，或與己說兼存之，其傳較《公羊》為平正者，以此也。

蘭甫先生在此條之中，則舉出《公羊》與《穀梁》二傳中解經文義相同之處，以證明《穀梁傳》因在《公羊傳》之後，故所釋經文，其義反較《公羊傳》更為平正而少偏宕。

蘭甫先生討論《穀梁傳》成書當在《公羊傳》之後，所舉例證，雖不甚多，然皆確切可

信，其影響於後世學者之見解者，也極為重要。❻

(五)論何休注《公羊傳》多本於《春秋繁露》

《公羊傳》成書之後，在西漢時，曾立於學官，而董舒又撰著《春秋繁露》，以闡釋《春秋公羊》學之要義，迄至東漢時代，何休撰成《春秋公羊解詁》，更針對《公羊傳》作出全面之注釋，且何休《解詁》，其本之於董仲舒之說者，也不在少，蘭甫先生於此，也曾加以彰明，《東塾讀書記》卷十之第二十六條云：

> 《何注》多本於《春秋繁露》，而《徐彥》不疏明之，如《繁露》云：「春秋變一謂之元。」（〈重政篇〉）隱元年，何注，亦云「變一為元」。《繁露》云：「始言大惡，殺君亡國，終言赦小過，是亦始於麤粗，終於精微，教化流行，德澤大治，天下之人人有士君子之行而少過矣，亦譏二名之意也。」（〈俞序篇〉）隱元年傳：「所見

❻ 張西堂先生有《穀梁真偽考》一書，曾統計《穀梁傳》中使用「或曰」、「傳曰」而取之於《公羊傳》者，共有七處。

異辭，所聞異辭，所傳聞異詞。」何注之說本於此（注文太長，此不具錄），《徐疏》皆不引《繁露》，又如隱元年，《徐疏》引《春秋說》云：「以元之深，正天之端，以天之端，正王者之政。」此《繁露》之文。（〈二端篇〉文）而《徐疏》乃但云「春秋說」，將使讀之者不知其說出於董生矣。

蘭甫先生於此條之中，枚舉例證，以見何休《公羊解詁》之說，其義多本於《春秋繁繁》，而徐彥之為《公羊傳疏》，並不一一為之說明，將使後世讀何休書者，昧於來源，而以為皆屬何休之創見，而埋沒董仲舒之用心。《東塾讀書記》卷十之第二十七條云：

《春秋繁露》云：「王魯、絀夏、新周、故宋。」（〈三代改制質文〉）《史記・孔子世家》云：「作《春秋》，據魯、親周、故殷。」此則異於《春秋繁露》之說。《索隱》云：「以魯為主，故云據魯，時周雖微，而親周者，以見天下之有宗主也。」《公羊》無此說也。成元年，「王師敗績于貿戎」，《公羊》云：「王者無敵，莫敢當也。」既以周為王者無敵，必無黜周王魯之說矣，（《徐疏》云：「《春秋》之義，託魯為王，而使舊王無敵者，見任為王，甯可會奪。」此疏正可以駁黜周之說也。）宣十六年，「成周宣謝災。」《公羊》云：「外災不書，此何以書？新周也。」惟此有「新周」二字，《何注》云：「孔子以《春秋》當新王，上黜杞，下新周，而故宋。」此取《繁露》之說，以解之也。

蘭甫先生以為，「王魯、絀夏、新周、故宋」之義，《公羊傳》中，並無其說，僅宣公十六年《公羊傳》中有「新周」二字，而也別有義涵❼，而何休《解詁》，卻取《春秋繁露》之義，加以解說。《東塾讀書記》卷十之第二十八條云：

> 《春秋繁露》有先質後文之語。（見〈玉杯篇〉）何邵公遂謂《春秋》「變周之文，從殷之質」，且所謂質者，指母弟稱弟而言，謂「質家親親，明當親厚，異於群公子」。（隱七年傳：「母弟稱弟，母兄稱兄」注。）其說尤謬，先質後文，豈分別同母異母

❼ 陳澧：《東塾讀書記》卷十之第二十七條云：「孔巽軒《通義》云：『周之東遷，本在王城，及敬王遷成周，作《傳》者號為新周，猶晉徙于新田，謂之新絳，鄭居郭鄶之地，謂之新鄭，實非如《注》解。故宋，《傳》絕無文，惟《穀梁》有之，然意尤不相涉。』《公羊》新周二字，自董生以來，將二千年，至巽軒，乃得其解，可謂《公羊》之功臣矣。」

之謂耶？親厚異母兄弟與同母等，豈文家之弊耶？孔子所欲變，乃在此耶？

《春秋繁露，玉杯篇》嘗云：「志為質，物為文，文著於質，質不居文。」又云：「然則《春秋》之序道也，先質而後文。」其義不過言人之心志為根本，外在事物為文飾而已，而何休《解詁》，卻取之以說《公羊傳》「母弟稱弟，母兄稱兄」，蘭甫先生以為，董子「先質後文」，與何休「同母異母」之分，並無關涉，而何休卻取董仲舒之說，以解釋《公羊傳》，故蘭甫先生所謂「何注多本於《春秋繁露》」者，在此又多一例證。

㈥論何休注《公羊傳》多言災異

漢代學者，喜言天人感應，又喜言災異譴告，前者以董仲舒為代表，後者則張大於何休之注《公羊傳》，陳澧《東塾讀書記》卷十之第二十九條云：

《春秋》所書災異，惟僖十五年「震夷伯之廟」，《公羊》云：「天戒之。」宣十五年「初稅畝，冬，蝝生」，《公羊》云：「上變古易常，應是而有天災。」（《何注》云：「上謂宣公。」）其餘但云「何以書？記異也。」（如隱三年「日有食之。」傳云：

「何以書？記異也」之類。）「何以書？記災也。」（如隱五年「螟」，傳云：「何以書？記災也」之類。）何注，則或取後事而言，如隱三年「日有食之」，注云：「是後，衛州吁弒其君完，諸侯初僭，魯隱係獲，公子翬進諂謀。」或取前事而言，如隱八年「螟」，注云：「先是有狐壤之戰，中丘之役，又受邴田，煩擾之應。」皆《公羊》所無之說。（其尤無理者，僖十三年「秋，九月，大雩」，注云：「城緣陵，煩擾之應。」城緣陵在明年，而先一年致旱乎？襄八年「秋，九月，大雩」，注云：「由城費，公比出會，如晉，莒人伐我，動擾不恤民之應。」《徐疏》云：「如晉者，即今年正月，公如晉是也。」澧案「正月公如晉」，注云：「公獨修禮於大國，得自安之道，故善錄之。」此又以為不恤民，自相違異，如此。）此乃漢儒好言災異風氣耳。夫自古國家治亂，每有吉凶先見，此必然之理，儒者陳說以為鑒，其意甚善，然其所說，必使人可信，乃為有益，若隨意所指，則人將輕視之，復何益乎，其尤謬者，定元年「實霜殺菽」，注云：「示以當早誅季氏，菽者，少類為稼，強，季氏象也。」穿鑿如此，人豈信之乎。（桓三年「秋七月，壬辰，朔，日有食之既」，何注云：「是後楚滅鄧穀，上僭稱王。」《徐疏》引《春秋說》云：「其後楚號稱王，滅穀鄧。」此何注說災異，本於讖緯之證也。）

蘭甫先生以為，《春秋》所書災異，僅僖公十五年，宣公十五年，《公羊傳》以「天戒之」、「天災」說之，意取鑒戒而已，而何休則於《公羊解詁》之內，對於《春秋》災異，大加推闡，多方穿鑿，令人難以取信。《東塾讀書記》卷十之第二十九條又云：

「西狩獲麟」，《公羊》但云：「記異也。」但云：「孰狩之？薪采者也。」但云：「孔子反袂拭面，涕沾袍曰，吾道窮矣。」何注則云：「薪采者，庶人燃火之意，此赤帝將代周居其位，言獲者，兵戈文也，言漢姓，卯金刀，以兵得天下。」又云：「得麟之后，天下血書魯端門云云。」信乎《公羊》之罪人矣。（《春秋繁露·符瑞篇》云：「西狩獲麟，受命之符。」是西漢時，《公羊》家已有此說。）

蘭甫先生以為，《春秋》魯哀公十四年，記「西狩獲麟」，《公羊傳》但言「記異」，說甚平實，而何休《公羊解詁》，乃傅會之為漢代制法，劉姓將得天下之義，故蘭甫先生以為，何休之說，於《春秋》所記，推闡過遠，又不符合《公羊傳》解經之意義，故以之為《公羊》家之罪人。❽

三、結語

綜合上節所論，尚有幾點意見，可資記述：

1. 陳澧《東塾讀書記》卷十之中，所論《春秋》之要義，除前節所歸納分析之六項以外，其餘尚有數條，也頗為重要，如第八條所論「《左傳》無日月例」、第二十五條所論「何注用緯書」、第三十條所論「何注以時月日為褒貶，遂強坐入罪」、第三十九條所論「《穀梁》時月日之例，多不可通，」第四十二條所論「《穀梁》之短，范注不曲從之，此范注之善」、第四十六條所論「知三《傳》之病，而後可以治《春秋》，知杜何范注、孔徐楊疏之病，而後可以治三《傳》」、第四十七條所論「三《傳》各有得失，不可偏執一家，盡以為是，而其餘盡非」，似此等意見，對於研治《春秋》而言，皆頗為重要，值得注意。

2. 蘭甫先生生於清代嘉慶道光之際（西元一八一〇年至一八八二年），當其時，乾嘉漢學考據學風，已逐漸衰歇，而常州今文經學，正方興未艾，劉逢祿（西元一七七六年至一八二九

❽ 拙稿〈試論《春秋》「獲麟」之文化史義涵——以俞樾之說為探索中心〉，載國立中山大學出版之《第三屆國際暨第八屆清代學術研討會論文集》，可資參閱。

年），宋翔鳳（西元一七七六年至一八六〇年）、龔自珍（西元一七九二年至一八四一年）、魏源（西元一七九四年至一八五六年）、戴望（西元一八三七年至一八七三年）等人，皆以《公羊》之學，張大旗幟，鼓吹經世，而蘭甫先生置身於其間，研治經學，力主調和漢宋，其於《春秋》之學，則偏重古文學之《左傳》，對於盛極一時之《公羊》今文經學，卻未加推闡，反而於《公羊》何休等所倡言之「非常異義可怪之論」，加以拒斥，於此，皆可見蘭甫先生以平實之態度研治經學，而不務於新奇。

3.蘭甫先生對於《春秋》之學的研究，並未撰成對經傳全面疏解形式的專著，他只是在《東塾讀書記》中，用札記的方式，對某些《春秋》之學的問題，提出了自己的見解，這些見解，都具有不少啟發性的價值，不論是在晚清的經學史上，或者是在經學專門問題的研究上，都仍然是值得人們去加以珍視，加以參考的。

（此文於二〇〇四年十一月二十五日在中央研究院中國文哲研究所「廣東學者的經學研究第二次學術研討會」中宣讀）

拾、發揮經義　取證史事

——俞樾《達齋春秋論》析評

一、引言

俞樾字蔭甫，浙江德清人，生於清道光元年，卒於光緒三十二年（當西元一八二一年至一九〇七年），享年八十六歲。俞氏晚年，常居蘇州，寓廬之旁，有曲園，因以為號，故學者亦稱之為曲園先生。

俞氏幼年讀書，穎慧絕倫，過目不忘，年三十，舉進士，年三十五，出為河南學政，將以有所作為，以命題監考事，為御史曹登庸所劾，罷歸田里，由是絕意仕途，專心著書講學，嘗主講蘇州紫陽書院、上海求是書院，而主講杭州詁經精舍，尤久至三十餘年，平生所著書，逾五百卷，一百三十餘種，總稱之為《春在堂全書》，其中如《群經平議》、《諸子平議》、《古書疑義舉例》等書，則最為世人所推崇。

俞氏論學，最服膺高郵王氏父子，故其所著述，也多數摹仿王氏父子之治學方法，俞氏《群經平議・序》曰：「嘗試以為，治經之道，大要有三，正句讀、審字義、通古文假借，得此三者以治經，則思過半矣。」又曰：「三者之中，通假借為尤要，諸老先生，唯高郵王氏父子，發明故訓，是正文字，至為精審。」❶章炳麟於所撰〈俞先生傳〉中也曰：「（俞氏）年三十八，始讀高郵王氏書，自是說經依王氏律令，五歲，成《群經平議》，以劉《述聞》，又規《雜志》而作《諸子平議》，最後作《古書疑義舉例》。」❷

俞氏關於《春秋》學之著作，主要見於《群經平議》之中，《平議》中計收有《公羊傳平議》一卷、《穀梁傳平議》一卷、《左傳平議》三卷，考其內容，大抵皆沿承高郵王氏父子之治學方法，以尋覓通假、審定詞義、詮釋經旨為依歸。至於俞氏所著《達齋春秋論》一卷，則與《群經平議》中所收有關《春秋》三傳之作，內容頗異其趣，俞氏所撰《達齋春秋論》，乃係抒發《春秋》大義之作，而其中又往往援引歷代史事，用以印證經義，且進而欲人汲取教訓，用為鑒戒之資。

《達齋春秋論》一卷，收入俞氏《春在堂全書》中《曲園雜纂》之內，而「達齋者，亦曲園中齋名也」❸。

俞氏《達齋春秋論》一卷，計收有議論共十五篇，其名目如下：（每篇議論下之標號乃筆者所加）

〈論鄭伯克段于鄢第一〉

〈論衛人立晉第二〉

〈論天王使仍叔之子來聘第三〉

〈論夫人姜氏會齊侯于禚第四〉

〈論師次于郎以俟陳人蔡人第五〉

〈論齊人殲于遂第六〉

〈論齊人降鄣第七〉

---

❶ 俞樾：《群經平議》，載《春在堂全書》，臺北，環球書局影印原刻本，民國五十七年初版，下引並同。

❷ 章炳麟：〈俞先生傳〉，載《章太炎全集》，上海，人民出版社，一九八二年初版。

❸ 見俞樾：《達齋尚書論》，載《春在堂全書》中《曲園雜纂》第二。

〈論楚人伐隨第八〉

〈論衛殺其大夫元咺及公子瑕第九〉

〈論介入侵蕭第十〉

〈論齊人弒其君商人第十一〉

〈論楚子伐陸渾之戎第十二〉

〈論叔孫豹會晉趙武、楚屈建、蔡公孫歸生、衛石惡、陳孔奐、鄭良霄、許人、曹人于宋第十三〉

〈論公薨于楚宮第十四〉

〈論西狩獲麟第十五〉

以上十五篇議論，第一篇始自於魯隱公元年，第十五篇終於魯哀公十四年，恰巧符合於《春秋》二百四十二年記事之首尾，其他十三篇議論，則依《春秋》記事之先後，陸續臚列。

本文之作，擬就俞氏之《達齋春秋論》，加以分析，並試為評論，以彰明俞氏該書之特色與價值。

二、析評（上）

以下，即就俞氏《達齋春秋論》，擇取數篇，加以析評，先為舉例。

㈠論鄭伯克段于鄢

俞氏〈論鄭伯克段于鄢第一〉曰：

> 鄭伯克段于鄢，論者皆以為罪鄭伯，殆不然也，僖二十五年，《春秋》書「衛侯燬滅邢」，三傳皆曰「滅同姓」，故夫同姓者，兄弟之國也，滅兄弟之國，其罪至於生名之，況親殺其兄弟者乎，鄭莊之於大叔段，《公》、《穀》皆以為殺之，則其罪視滅兄弟之國，必有甚矣，宜為《春秋》之所貶，當曰「鄭伯寤生」，乃書爵而不名，何也？段者鄭伯之母弟也，《春秋》母弟書弟，故襄三十年，書「天王殺其弟年夫」，彼稱弟而此不言弟，又何也？《左氏》曰：「段不弟，故不言弟。」得之矣，夫《春秋》者，託文以見義，非紀事之史也，其託始於隱公，蓋託王於魯也，王者欲治天下，先治其國，欲治其國，先治其家，並后匹嫡，兩政耦國，亂之本也，大叔居京，

> 都城過百雉，又收西鄙北鄙之邑，至於廩延，其勢且無鄭矣，晉封桓叔於曲沃竟并晉，此其明鑒也。❹

今案《春秋》隱公元年記曰：「夏，五月，鄭伯克段于鄢。」《左傳》記鄭武公夫人武姜，生莊公及共叔段，莊公寤生，驚姜氏，故名曰寤生，遂惡之，而愛共叔段，欲立之，及莊公即位，使段居於京邑，段乃築城垣而過百雉，又命西鄙北鄙兩邑，兼屬於己，又繕治甲兵，備具兵乘，將進襲莊公，莊公乃命子封帥車二百乘，以伐京邑，段入於鄢邑，子封又伐鄢邑，段逃往共國。《左傳》曰：「段不弟，故不言弟，如二君，故曰克，稱鄭伯，譏失教也。」❺《公羊傳》曰：「克之者何？殺之也，殺之，則曷為謂之克？大鄭伯之惡也。」❻《穀梁傳》曰：「克者何？能也，何能也？能殺也。」又曰：「段，弟也，弟而弗謂弟，公子而弗謂公子，貶之也，段失子弟之道矣，賤段而甚鄭伯也，何甚乎鄭伯？甚鄭伯之處心積慮成於殺也。」❼是三傳皆以鄭伯為有罪戾，而俞氏則不以為然，俞氏以為，《春秋》記「衛侯燬滅邢」，邢與衛同姓，故書衛侯之名「燬」以譏之，《春秋》記「天王殺其弟年夫」，故書「弟」而罪之（《左傳》曰：「罪在王也。」）然而，《春秋》不書鄭伯「寤生」之名，又不書共叔段為「弟」之稱，則《春秋》之義，正所以見段之行徑，實已不符為弟之道，而莊公討之，其事甚正也，俞氏進而以為，《春秋》「託始於隱公，蓋託王於魯也」，故於隱公元年，假「鄭伯克段」之事，以寄寓家齊而後國治之要義，故俞氏特為指出，「《春秋》者，託文以見義，非紀事之史也」，俞氏〈論鄭伯克段于鄢第一〉又曰：

> 漢高祖既定天下，大封同姓，悼惠王王齊七十二城，元王王楚四十城，兄子濞王吳五十餘城，三庶孽之封，分天下之半，而卒有七國之禍。唐高祖以秦王世民功高，加號天策上將，領司徒陝東道，大行臺尚書令，位在王公上，增邑戶至三萬，賜袞冕金輅，前後鼓吹，九部之樂，而秦王卒殺太子而代之。烏乎，自古帝王以百戰得天下，而爭奪之禍，常起於門內，自漢唐至於元明，皆有之，聖人作《春秋》，為萬世法，故於隱公元年，特書「鄭伯克段于鄢」，段不言弟，失弟道也，鄭伯書爵，予其能討也，明乎有王者作，必先討其門內之亂，而後可以治天下，〈大學〉所謂「家齊而後

❹ 俞樾：《達齋春秋論》，載《春在堂全書》中《曲園雜纂》第四，下引並同。

❺ 《左傳注疏》，臺北，藝文印書館影印阮刻《十三經注疏》本，下引並同。

❻ 《公羊傳注疏》，臺北，藝文印書館影印阮刻《十三經注疏》本，下引並同。

❼ 《穀梁傳注疏》，臺北，藝文印書館影印阮刻《十三經注疏》本，下引並同。

國治，國治而後天下平」也，世儒不達此義，沾沾焉就事以論事，烏足以知此。

俞氏在闡釋了「鄭伯克段」的要義之後，又自鄭莊公兄弟相爭之事，引出「自古帝王以百戰得天下，而爭奪之禍，常起於門內」之教訓，並枚舉漢代七國之禍與唐代玄武門之變為例，用資鑒戒，然後再論及《春秋》「於隱公元年，特書鄭伯克段于鄢」，「明乎有王者作，必先討其門內之亂，而後可以治天下」的結論。

(二)論師次于郎以俟陳人蔡人

俞氏〈論師次于郎以俟陳人蔡人第五〉曰：

莊公八年，「春，王正月，師次于郎，以俟陳人蔡人」，何休服虔以為欲共伐郕，賈逵及說《穀梁》者，皆云「陳蔡欲伐魯，故待之」，孔穎達曰：「陳蔡於魯，竟絕路遙，春秋以來，未嘗構怨，何因輒伐魯也，又俟者相須同行之辭，非防寇拒敵之稱。若是畏其來伐，當謂之禦，不得稱俟，故知期共伐郕耳。」愚謂孔氏之說是也，惟陳蔡於魯，竟絕路遙，魯及齊伐郕，何必遠期陳蔡乎？曰，齊強而魯弱，齊雖與魯共伐郕，而實欲專得郕，魯知其意，故遠與陳蔡為期，欲其以師從我，魯得陳蔡之助，則可以脅齊，而齊不得專有郕矣，其必求助於陳蔡者，正取其遠也，越國鄙遠，自知其難，若近國，則助我而又與我爭郕矣，陳蔡之不至，知魯之謀也，徒為魯役，而無所得，陳蔡所以不至也，於是魯與齊共伐郕，郕降于齊師，魯不敢爭而還，失陳蔡之助也。

今案《春秋》莊公八年記曰：「春，王正月，師次于郎，以俟陳人蔡人。」又曰：「夏，師及齊師圍郕，郕降于齊師。」俞氏於此年經文所記之事，不取賈逵及范寧「陳蔡欲伐魯」之說，而以杜預及孔穎達「期共伐郕」之說為是，而何休及服虔之說，也與杜孔相近。俞氏又以為，魯弱齊強，故魯欲得陳蔡之助，則可以協力拒齊，且陳國蔡國，距郕國遠，魯人之計，如得陳蔡之助，足以拒齊，足以伐郕，伐郕得勝，陳蔡又遠，則魯可以獨佔郕國，是以魯師次于郎以俟陳蔡師至，以共伐郕，而陳蔡亦知魯國之謀，故陳蔡之師不至，故是年夏，雖魯師與齊師圍郕，而「郕降于齊師」，正所以明陳蔡之師不至，魯無力取郕，郕既降齊，魯師也不敢相爭，而逕自還國，俞氏〈論師次于郎以俟陳人蔡人第五〉又曰：

漢高祖與齊王韓信、建成侯彭越期會，共擊項羽，信越不會，楚擊漢軍，大破之，高祖謂張子房曰：「諸侯不從約，奈何？」對曰：「楚兵且破，信越未有分地，其不至，固宜，君王能自陳以東傅海，盡與韓信，睢陽以北至穀城，以與彭越，使各自為戰，則楚易敗也。」高祖從其言，韓彭皆至，卒滅楚。嗟乎，天下皆以利動者也，魯欲藉陳蔡之力以脅齊，而不使陳蔡得與其利，此漢高祖不能得之韓彭者，而謂魯莊公能得之於陳蔡哉！蒲之盟，晉將始會吳，吳不至，雞澤之會，晉使逆吳子於淮上，吳子又不至，其亦以此也，是故越國而謀，君子以為古，古之道，非可行於後世也，金與宋約，共伐遼，遼亡，而所以畀宋者，止薊景等州，且亦空城而已，蒙古與宋約，共伐金，金亡，宋欲乘時復三京，而蒙古即以敗盟來討，嗟乎，宋人之見，何其出陳人蔡人下也。

俞氏於闡釋經義之後，又引述史事，與經義相印證，所引漢高祖期約韓信彭越共擊項羽之事，而歸結於「天下皆以利動者也」，因謂魯莊公欲會陳蔡共拒齊師而伐郕，乃又不使陳蔡得與其利，故其謀不售，因而又舉春秋晉吳於蒲及雞澤之盟，與後世趙宋與金人元人相約，卒以亡國之事，以為鑒戒，而嗟歎「宋人之見，何其出陳人蔡人之下也」。

㈢論齊人殲于遂

俞氏〈論齊人殲于遂第六〉曰：

> 齊之滅遂也，既不能奄有其地，則宜置君而去之，而顧置戍焉，宜其殲于遂也。鄭莊公入許，置許叔於其東偏，而使公孫獲處其西偏，命之曰：「凡爾器用財賄，無寘於許，我死，乃亟去之。」及鄭莊公卒，許叔入于許，使公孫獲不去，亦必為所殺矣。夫滅人之國，而不能有，而又不肯舍，乃以孤軍戍守其地，未有能相安者也。

今案《春秋》莊公十三年記曰：「夏，六月，齊人滅遂。」《左傳》曰：「夏，齊人滅遂而戍之。」《春秋》莊公十七年記曰：「夏，齊人殲于遂。」《左傳》曰：「夏，遂因氏、頜氏、工婁氏、須遂氏饗齊戍，醉而殺之，齊人殲焉。」此為齊人殲於遂之事，「鄭莊公入許」之事，見於《春秋》隱公十一年，鄭莊公卒於桓公十一年，俞氏於齊人滅遂，又派兵戍守，卒至其戍者為遂人所殲滅之事，因而申論，以為「滅人之國」，「乃以孤軍戍守其地，未有能相安者也」，並以鄭莊公入許之事，以為佐證，俞氏〈論齊人殲于遂第六〉又曰：

諸葛亮南征，所至之地，皆即其渠率而用之，或以諫亮，亮曰：「若留外人，則當留兵，兵留則無所食，一不易也。夷新傷破，父兄死喪，留外人而無兵者，必成禍患，二不易也。又吏累有廢殺之罪，自嫌釁重，若留外人，終不相信，三不易也。今吾欲使不留兵，不運糧，而夷漢粗安故耳。」亮之所見，豈不遠哉。劉裕之平關中也，留其子義真鎮之，而自東還，及義真殺王脩，人情離叛，無相統一，裕遣朱齡石替義真鎮關中，義真奔還，僅以身免，而齡石卒死焉，此亦齊殲于遂之類也。明永樂中，討黎季犛之亂，遂平安南，立交阯布按都三司，及各府州縣衛所諸司，一如內地，然大軍甫還，陸那、阮貞等即並起為亂，黎利因之而反，宣德中，卒從其請，復立陳景為王，而廢交阯。是以古之王者，慎固封守，無務勤兵於遠也。

俞氏既於《春秋》中論齊人滅遂，置兵戍之，而卒為遂人所殲，因乃引以為鑒戒，並引述諸葛亮征南蠻，服其渠帥之心，而不留置士卒，推為遠見，然後又引劉裕平關中，成祖平安南，留兵鎮守，而卒不能安之史事，以為教訓，進而抒發「古之王者，慎固封守，無務勤兵於遠」之見解。

(四)論介人侵蕭

俞氏〈論介入侵蕭第十〉曰：

> 介人侵蕭，細事也，何以書於《春秋》，烏呼，此聖人垂戒之深也，僖二十九年春，書「介葛盧來」，其年冬，又書「介葛盧來」，介之於魯，何來之數也，乃逾年而有侵蕭之役矣，《易》曰：「履霜，堅冰至。」介葛盧之來，是履霜之兆也，夫戎狄之於中國，不相習也，山川之險易，關津之通塞，人民之眾寡，國勢之強弱，皆不得而知也，彼安敢遽涉吾地哉，故欲逞志於中國，必先納交於中國，介葛盧一再來魯，其於他國，可知也，夫既歲至中國之地，則山川之險易，關津之通塞，人民之眾寡，國勢之強弱，固已在其目中矣，其侵蕭也，其入犯中國之始也，今歲侵蕭，明歲安知其不侵魯哉，聖人書之，所以警中國也。

今案《春秋》僖公二十九年，於春於冬，兩書「介葛盧來」，至僖公三十年，即書「(秋)介人侵蕭」，《公羊傳》曰：「介葛盧者何？夷狄之君也。」，夷狄之君，一年兩度來魯，次年即有入侵宋國蕭邑之舉，故俞氏以為，夷狄「欲呈志於中國，必先納交於中國」，「其侵蕭也，其入犯中國之始也，今歲侵蕭，明歲安知其不侵魯哉」，故俞氏以為，「聖人書之，所以警中國也」，俞氏〈論介人侵蕭第十〉又曰：

周公有言，德澤不加則不享其贄，政令不施則不臣其人，古之聖人，非不知遠人慕義之可嘉，中外一家之為大也，然百不受者，知其必有害也，《漢書・匈奴傳・贊》曰：「夷狄之人，貪而好利，聖王禽獸畜之，不與約誓，不就攻伐，外而不內，疏而不戚，政教不及其人，正朔不加其國，來則懲而御之，去則備而守之。」烏呼，此聖人之深計也，夫以冒頓之強，當秦項之亂，然而不能闖入中國尺寸之地者，以其素不相習也，漢桓帝遷五部匈奴於汾晉，使之散居內地，明習漢法，其後劉淵以五部離散之餘，卒能自振於中國者，以相習故也，宋太祖建隆二年，女真國來貢名馬，而宣和之禍，卒發於女真，是故《春秋》於兩書「介葛盧」來之後，即書「介人侵蕭」，是亦可以觀矣。

俞氏於闡釋《春秋》要義之後，遂又引述史事，加以印證，俞氏以為，《漢書・匈奴傳・

贊》中所言中國對治夷狄之計，「來則懲而御之，去則備而守之」，最為妥當，又枚舉漢桓帝、宋太祖之不戒於此，卒遭外患之禍為例，故俞氏以為，華夷雜居，其害深可憂慮也。

(五)論齊人弒其君商人

俞氏〈論齊人弒其君商人第十一〉曰：

> 文之十四年，書「齊公子商人弒其君舍」，至十八年，書「齊人弒其君商人」，商人，弒君之賊也，不以討賊書，而以弒君書，然則商人無罪歟？曰，此聖經之窮於辭而不得已也，自商人弒立以來，書「齊侯侵我西鄙」，書「季孫行父會齊侯于陽穀」，書「公子遂及齊侯盟于郪丘」，書「齊侯伐我西鄙」，書「公及齊侯盟于穀」，國人君之矣，諸侯與之矣，其為齊侯也久矣，至是不得變其文曰「齊人殺商人」也，故曰窮於辭也。

今案《春秋》文公十四年書「齊公子商人弒其君舍」，商人弒君而自立，至文公十八年，《春秋》又書「齊人弒其君商人」，雖然，春秋二百四十二年之中，弒君三十六，亡國五十二，然而，如齊公子商人之弒君自立，而人弒其君商人，五年之間，報應循環如此其速者，亦不多見，五年之間，《春秋》所書，於「商人」行事皆曰「齊侯」，故俞氏以為，《春秋》雖以商人為弒君自立之賊，而五年之間，國人已君之矣，諸侯已與之矣，《春秋》雖惡之罪之，於商人之卒，也不得變文稱「齊人殺商人」，而不得不書「齊人弒其君商人」，故俞氏也由是以為，「此聖經之窮於辭而不得已也」，俞氏〈論齊人弒其君商人第十一〉又曰：

歐陽脩作《五代史》，於〈梁本紀〉曰：「天下之惡梁久矣，自後唐以來，皆以為偽也，至予論次五代，獨不偽梁，或譏予失《春秋》之旨，予曰，魯桓公弒隱公而自立者，宣公弒子赤而自立者，鄭厲公逐世子忽而自立者，衛公孫剽逐其君衎而自立者，聖人於《春秋》皆不絕其為君，此予所以不偽梁者，用《春秋》之法也。」歐陽子之言，固有合於《春秋》，而後人猶以不偽梁為歐陽病，何哉？然而吾於此，又見《春秋》之為亂臣賊子戒者，至深切也，曾子曰：「戒之戒之，出乎爾者，反乎爾者也。」商人以其君為可弒而弒舍，人亦以其君為可弒而弒商人，自文十四年至十八年，首尾五年耳，而弒人人弒，曾不旋踵，夫何樂乎為君也，吾觀曹氏父子之篡漢

> 也，託禪讓之名，行篡弒之術，錫文讓表，粲然可觀，真若可以欺後世，未幾而晉之篡魏，亦如之，未幾而宋之篡晉，亦如之，由宋而齊而梁而陳，勸進之辭，禪位之策，若出一手，是故《春秋》書「公子商人弒其君舍」，又書「齊人弒其君商人」，為亂臣賊子戒，至深切也。

俞氏於闡釋《春秋》要義之後，又引述史事，以證經義，俞氏先行引述自三國曹氏父子篡漢，晉亦篡魏，以至宋、齊、梁、陳，歷代相篡之史事，與「商人弒君、人弒商人」，絕似雷同，以資鑒戒，然後歸結於《春秋》既書「公子商人弒其君舍」，又書「齊人弒其君商人」，弒人君者，人亦弒其君，以為《春秋》「為亂臣賊子戒，至深切也」。

(六)論叔孫豹會晉趙武、楚屈建、蔡公孫歸生、衛石惡、陳孔奐、鄭良霄、許人、曹人于宋

俞氏〈論叔孫豹會晉趙武、楚屈建、蔡公孫歸生、衛石惡、陳孔奐、鄭良霄、許人、曹人于宋第十三〉曰：

梁襄王問孟子曰：「天下惡乎定？」而孟子曰：「定於一。」自古及今，未有一而不定，不一而定者也，世之盛也，國無異政，家無殊俗，考禮正刑，一德歸于天子，所謂「天下有道，禮樂征伐，自天子出」也，周之衰，王者不作，於是諸侯之強大者，起而為之長，齊桓興，齊為盟主，晉文出，晉為盟主，《春秋》亦遂從而予之，何者？天下不可以無所一也，僖、文、宣、成以來，天下之從晉久矣，晉之外，如齊、如秦、如楚，皆大國，而楚尤強，時出而與晉爭霸，諸侯之叛晉而即楚者，固亦有之，然不過如鄭之犧牲玉帛，待於二境，晉至從晉，楚至從楚，其兼聽於晉楚者，無有也。

今案春秋時期，二百四十二年之中，五霸迭興，齊桓晉文，最先稱霸，而後秦楚繼起，與晉爭霸，《春秋》宣公十二年春，楚子圍鄭，楚與鄭盟，夏六月，晉師救鄭，鄭皇戌如晉師，勸晉師與楚戰，實則首鼠兩端，欲觀於晉楚之勝者而從之，於是晉楚治兵，而有邲之戰，晉師大敗，其時中原小國，尚無「兼聽於晉楚者」，俞氏〈論叔孫豹會晉趙武、楚屈建、蔡公孫歸生、衛石惡、陳孔奐、鄭良霄、許人、曹人于宋第十三〉又曰：

乃至宋之盟，而晉楚二卿，並列於諸侯之上，於是中國遂有二霸，自此列國諸侯，南向而朝楚。申之會，大合十有一國之眾，宋世子佐以後至，而不得見，滅胡滅頓，楚益橫而吳越繼之，晉遂失霸，其國內亂，三家分晉，西陲之秦，乃一出而莫之禦，先王封國，掃地無遺，延至楚漢之際，而生民幾盡矣，君子推原禍本，由於秦之強，而秦之強，由於晉之衰，晉之衰，又由於楚之強，則宋之盟，實古今盛衰治亂之樞也。烏乎，自古及今，未有不一而定者也，漢唐以來，天下一統，其閒不幸而分裂，地醜德齊，莫能相尚，南之詆北曰索虜，北之詆南曰島夷，然而各一其一，則猶各定其定也，北宋之於遼，南宋之於金，則遂為兄弟之國，自澶淵之會，與契丹盟，而政交於中國矣，烏乎，此亦宋之盟也。

今案《春秋》襄公二十七年記曰：「夏，叔孫豹會晉趙武、楚屈建、蔡公孫歸生、衛石惡、陳孔奐、鄭良霄、許人、曹人于宋。」又曰：「秋，七月，辛巳，豹及諸侯之大夫盟于宋。」考《左傳》記此會甚詳，先是宋向戌欲弭諸侯之兵，先如晉，晉許之，如楚，楚亦許之，如齊，齊人許之，又告於秦，秦亦許之，乃皆告於諸小國，為會於宋。於是諸侯之使，陸續至宋，及會，晉楚之使，爭先歃盟，叔向言於趙武，乃先楚人，自是晉楚二國之卿，並列於諸侯之上，「於是中國遂有二霸」。又「申之會」，在昭公四年，《春秋》記曰：「夏，楚子、蔡侯，陳侯、鄭伯、許男、徐子、滕子、頓子、胡子、沈子、小邾婁子、宋世子佐、淮夷，會于申，楚人執徐子。」《左傳》記其事曰：「宋大子佐後至，王田於武城，久而弗見。」《春秋》昭公四年又記曰：「秋，七月，楚子、蔡侯、陳侯、許男、頓子、胡子、沈子、淮夷，伐吳，執齊慶封，殺之，遂滅厲，九月，取鄫。」是楚之國力，益為強大矣。至於「楚子滅胡」，則在定公十五年，而「楚公子結、陳公子佗人，帥師滅頓」，則在定公十四年，至是，而「楚益橫」，及吳越繼之，晉遂失其霸業，及秦東向，而天下莫之能禦，寰宇由是一統，故俞氏以為，「秦之強，由於晉之衰，晉之衰，又由於楚之強」，故俞氏強調，「推原禍本」，「則宋之盟，實古今盛衰治亂之樞也」，及至後世，天下不定，南北相爭，變亂相尋，至於北宋，迫於國力，乃與契丹相會，俞氏以為，澶淵之盟，趙宋滅亡，實導源於此，故俞氏以為，喻之春秋巨變，「此亦宋之盟也」。

以上，乃就俞樾《達齋春秋論》中，枚舉六例，加以分析評論，以說明俞氏於闡釋《春秋》之時，發揮經義，進而彰顯之歷史教訓。其例之一，論天子治國，家齊而後國治之理。其例之二，論天下人情，多以利而動之理。其例之三，論孤軍遠戍，危亡立至之理。其例之四，論華夷雜居，深可憂慮之理。其例之五，論弒人君者、人亦弒其君之理。其例之六，論錯失霸業，貽患千載之理。要之，皆俞氏發揮經義，取證史事，用為鑒戒之意者也。

三、析評（下）

在上節中，筆者選取俞樾《達齋春秋論》中之六篇議論，加以分析與評論，以下，即更就《達齋春秋論》中其他九篇議論，再作粗略之分析。

(一)論衛人立晉

俞氏〈論衛人立晉第二〉，主要敘述《春秋》隱公四年，衛公子州吁，弒其君完，而大臣石碏，大義滅親，使右宰醜蒞殺州吁於濮，使獳羊肩蒞殺石厚於陳，而又立公子晉為衛君，是為宣公，故《春秋》書曰「衛人立晉」，俞氏以為，方伯連帥，以至諸侯，必天子所命，方得其正，而不得自下立之，故俞氏以為，「上無天子，下無方伯，自相推奉，為大亂之道」，乃徵引史事，為之鑒戒。

(二)論天王使仍叔之子來聘

俞氏〈論天王使仍叔之子來聘第三〉，主要敘述仍叔世為周之大夫，《春秋》桓公五年，書「天王使仍叔之子來聘」，則是仍叔已老，而由其子代行其事，俞氏以為，「古者諸侯世其國，則大夫士皆世其家」，故以為《春秋》書「仍叔之子」，「見故家遺俗猶存也」，並舉孟子「所謂故國者，非謂有喬木之謂也，有世臣之謂也」，以相佐證，是以俞氏以為，國有世臣，野有世農，肆有世工，市有世商，相與維係，而不可解，「此所以長治而久安也」。

(三)論夫人姜氏會齊于禚

俞氏〈論夫人姜氏會齊于禚第四〉，主要以為，文姜為魯桓公夫人，莊公之母，而與齊襄公私通，而《春秋》自莊公二年，記文姜與齊侯相會于禚之後，乃至莊公四年、五年、七年，皆歷記文姜與齊侯之會，而不為之隱諱，故俞氏以為，此所以「明文姜之惡，《春秋》所不諱也」。

(四)論齊人降鄣

俞氏〈論齊人降鄣第七〉，主要以為，自莊公四年，齊人滅紀，《春秋》書「紀侯大去其國」，至莊公二十九年，《春秋》書「紀叔姬卒」，莊公三十年，《春秋》書「齊人降鄣」，是紀侯大去，以至其夫人叔姬之卒，凡二十七年，叔姬以一亡國之婦，守義不變，至叔姬卒後，紀之遺邑鄣地之民，方始降齊，俞氏以為，《春秋》書「紀叔姬卒」，又書「齊人降鄣」，正所以「嘉叔姬之節，而見節義之感人者深也」。

(五)論楚人伐隨

俞氏〈論楚人伐隨第八〉，主要以為，《春秋》僖公二十年，楚人伐隨，隨國鄰近楚國，當是時，宋襄公方力圖霸業，如襄公能聯合諸侯，以救隨國，則楚必不敢橫行於中國，而宋之霸業，也將因之可成，也必無二年後泓水之敗，故俞氏以為，《春秋》書「楚人伐隨」，「蓋深惜中國有如是可乘之會，而宋襄坐失之也」。

(六)論衛殺其大夫元咺及公子瑕

俞氏〈論衛殺其大夫元咺及公子瑕第九〉，主要以為，《春秋》僖公二十八年，晉文公伐衛，楚人救衛，晉楚戰於城濮，楚師敗績，衛侯鄭出奔楚，衛大夫元咺出奔晉。及衛侯鄭復歸於衛，晉人執衛侯鄭，歸之於京師，元咺自晉返衛，立公子瑕為衛君，僖公三十年，衛人殺其大夫元咺及公子瑕，衛侯鄭復歸於衛。俞氏以為，衛侯鄭既已歸之於京師，則或釋或否，或遂收其國土，或更立賢君，「當聽之於天子」，是故「公子瑕之立，拒天子也，拒天子，不可也」，「元咺不知此而輒立公子瑕，無禮之甚者，宜為《春秋》之所罪也」。

(七)論楚子伐陸渾之戎

俞氏〈論楚之伐陸渾之戎第十二〉，主要以為，《春秋》僖公二十二年，秦晉遷陸渾之戎於伊川，宣公三年，《春秋》書「楚子伐陸渾之戎」，俞氏以為，楚之此舉，能遠涉中原，撻伐夷狄，乃楚莊王所以得列於五霸之主因，俞氏因而以為，「華戎雜居，未有不亂者也」。

(八)論公薨于楚宮

俞氏〈論公薨于楚宮第十四〉，主要以為，《春秋》襄公二十八年書「十有一月，公如楚」，二十九年書「春，王正月，公在楚」，「夏五月，公自至楚」，三十一年書「夏，六月，辛巳，公薨于楚宮」，《公羊傳》曰：「公朝楚，好其宮，歸而作之。」魯襄公至楚國，好其宮室之美，返魯後，令國人作楚宮，故俞氏以為，「魯，周公之後也，其國，天下之望也」，「凡天子之制，無所不具」，而「襄公一至楚國，乃慕其居處，效而倣之，刱為楚宮，舍路寢而不居，卒薨乎是」，故俞氏以為，「人之好怪哉」，「罕見罕聞之事，則欣欣樂道之」，俞氏因而主張，「君子非先王之法言不敢言，非先王之法服不敢服」，「耳目一而風俗同，天下所以長治而久安歟」。

㈨論西狩獲麟

俞氏〈論西狩獲麟第十五〉，主要以為，「《春秋》託始於隱公，實當平王東遷之初，周室東而周道衰矣」，至於哀公十四年，《春秋》書曰，「西狩獲麟」，俞氏以為，「西狩而不地，何也？聖人思周道也」，俞氏以為，西狩而獲麟，「麟則聖王之瑞也，西則文武故都之所在也，故不著其地，而曰西焉」，故孔子似曰，「周室其復西乎，其將復見文武成康之盛乎，故書曰，西狩獲麟，而遂絕筆乎是，以為文武將復興，而《春秋》可無作也」。❽

以上，乃就俞樾《達齋春秋論》中，前節所舉六例之外，其他所餘九篇議論，所作之粗

---

❽ 拙稿〈試論《春秋》「獲麟」之文化史義涵——以俞樾之說為探索中心〉一文，載高雄，國立中山大學：《第三屆國際暨第八屆清代學術研討會論文集》，民國九十三年七月出版，可資參閱。

略分析。大約言之，其例之一，論上無天子，下自奉立，為大亂之源。其例之二，論國有世臣，為長治久安之道。其例之三，論文姜之惡，《春秋》不為之諱。其例之四，論紀侯大去，君夫人在，人心未失，忠義可守。其例之五，論楚人伐隨，宋襄公不為救援，坐失霸業，深可惋惜。其例之六，論諸侯立君，當聽命於天子。其例之七，論楚莊王遠涉中原，伐陸渾之戎，乃得列於五霸。其例之八，論魯襄公令國人作楚宮，好奇慕怪，卒薨於是。其論之九，論西狩獲麟，乃孔子以為，文武之道，將再興也。要之，皆為俞氏於闡釋《春秋》之際，發揮經義，進而取證史事，用為鑒戒之意者也。

四、結語

綜合前文兩節分析，約可得出數點意見，以當結語，記之於下：

1.俞樾治經，最服膺高郵王氏父子，所著《群經平議》，也一以王引之《經義述聞》為效法之對象，其治經之方法，俞氏自言，有「正句讀」、「審字義」、「通古文假借」等三種途徑，而三種途徑，皆屬於訓詁詞義之範圍，《群經平議》中之《公羊傳平議》一卷，《穀梁傳平議》一卷、《左傳平議》三卷，其治經之方法，也莫不如此。[9]

2.俞氏《達齋春秋論》一卷，卻一反以訓詁治經之方法，而轉以抒發《春秋》之大義為主，十五篇議論，推闡《春秋》要旨，也與《群經平議》中研治三傳之方法，迥不相侔。

3.晚清時代，常州今文經學興起，莊存與及莊述祖，首倡其義，而劉逢祿、宋翔鳳、龔自珍等人，往往援引經義，以論政事，以求有用於當世，俞氏早年，曾與常州宋翔鳳往還，對於今文經學，也頗致其欽仰之意，晚年論學，也漸近於今文家之議論，章炳麟〈俞先生傳〉曾經指出，俞氏「治《春秋》，頗右《公羊》氏，蓋得之翔鳳云」❿，故俞氏於《達齋春秋論》中，能深明《春秋》屬辭比事之教，而能闡發其微言大義。⓫

4.俞氏《達齋春秋論》中十五篇議論，始自隱公元年之「鄭伯克段」，迄於哀公十四年之「西狩獲麟」，適與《春秋》二百四十二年之記事，起迄相符，俞氏以為，「《春秋》二

❾ 拙稿〈俞樾《群經平議》中之解經方法〉，分析俞氏在《群經平議》中之解經方法，計有「辨識通假」、「探索古訓」、「推尋語義」、「校訂訛誤」、「勘正衍文」、「釐定句讀」等六項方式，文載拙著《清代學術史研究續編》，臺北，學生書局，民國八十三年十二月初版，可資參閱。

❿ 同注❷。

⓫ 曾昭旭：《俞曲園學記》頁一一七亦云：「曲園早年居吳，嘗及見宋大令翔鳳，而得聞常州莊氏之學，故其治《春秋》，頗喜《公羊》。」臺北，臺灣中華書局，民國六十五年五月初版。

百四十年，皆託王於魯，以寓一王之大法，非為十二公作載筆之史」，「是故《春秋》始於隱公元年春王正月，不書即位，見創業之難，終於哀十四年春，西狩獲麟，見太平之應，自來言《春秋》者，未見及此」。[12]

5.俞氏《達齋春秋論》中，十五篇議論，除闡釋《春秋》要義之外，也時而引述史事，以相印證，其所引述，往往上下千載，貫串抒發，其中如論華夷雜居，為大亂之源，如論晉失霸業，秦遂漸強，終至族滅六國，如論宋地之盟，為古今盛衰治亂樞紐，其目光如炬處，與王船山《讀通鑑論》中之見解，極為相似。

6.俞氏《群經平議》一書，刊行於同治五年（西元一八六六年），俞氏四十六歲之時，俞氏《達齋春秋論》一卷，收入所著《曲園雜纂》之中，《雜纂》一書，刊行於光緒二年（西元一八七六年），俞氏五十六歲之時。[13]當其時也，清廷之國勢日衰，西方列強的侵凌，紛至沓來，俞氏身處晚清，關懷國族，目擊國難，隱痛於心，乃於誦讀《春秋》之際，感慨係之，藉古論今，發為議論，所撰《達齋春秋論》一卷，俞氏自云，「此卷雖與《書說》、《詩說》同以達齋題篇，然所論多《經》外之意，微有寄託，與《平議》不同」也。[14]

7.《達齋者秋論》中，俞氏所闡發之議論，亦有不盡符合於《春秋》之要義者，如論諸侯之任命宜由天子，不可由百官自為推奉，如論諸侯宜世其國，大夫宜世其家，皆不與《春秋》之義相合，此則俞氏針對當時政事而發，別有用意，後世讀此，不妨對其苦心，予以曲諒。

（此文於二〇〇五年六月二十三日在中央研究院中國文哲研究所主辦之「浙江學者的經學研究第一次學術研討會」中宣讀）

⑫ 見俞樾：《湖樓筆談》，載《春在堂全書》中《第一樓叢書》。

⑬ 參鄭振模：《清俞曲園先生樾年譜》，臺北，商務印書館，民國七十一年十月。

⑭ 見俞樾：《春在堂全書錄要》，載《春在堂全書》。

拾壹、廖平《春秋三傳折中》析評

一、引言

廖平（一八五二—一九三二）字季平，四川井研人，是晚清時代著名的經學家，他對於《春秋》一經，早期是推崇今文經學的《穀梁傳》，其次是《公羊傳》，但對於古文經學的《左傳》，稍後，也加以研治，並且，對於三《傳》，也進行了會通的工作。廖平在《四譯館經學目錄・序》中云：「昔治二《傳》（《穀梁》、《公羊》），隔膜《左氏》，南皮師令撰長編，因得三《傳》會同之效。」❶廖平研治《春秋》，由重視《穀梁》、《公羊》，到兼而

❶ 引見李燿仙：〈廖平選集（下冊）內容評介〉，載《廖平選集》下冊，成都，巴蜀書社，一九九八。

重視《左傳》，應該是受到其師張之洞的鼓勵與影響。

廖平長於《春秋》之學，對於三《傳》的研究，各有專門的著述多種❷，一九一七年，廖平草成《春秋三傳折中》一書，則是會通三《傳》義旨的著作。（此書由廖平弟子季邦俊就廖氏原稿補編而成）

在《春秋三傳折中．敘》中，廖氏說道：「自漢至今，言三《傳》者，喜言其異，不言其同，雖馬季良有《三傳異同說》一書，而異者自異，同者自同，初未敢於不同之中以求同也。三《傳》同係一源，必於不同之中以求同，斯為可貴。」又說：「六《經》有大小天人之分，而三《傳》無彼此是非之異，宏綱巨領，靡或不同，文字偶殊，不關典要。」❸因此，廖氏主要以為，三《傳》同出一源，皆係解釋《春秋》之作，只有文字的偶殊，宏綱巨領，並無不同之處，治《春秋》者，當於《三傳》文字不同之中，求其義趣之相同，方為可貴之處。

李燿仙在〈廖平選集（下冊）內容評介〉一文中也說道：「歷來治《春秋》者，都泥于今古之見，若非黨同伐異，即老死不相往來。自東漢馬融《三傳異同說》至今日臺灣傳隸樸《春秋三傳比義》，雖將《三傳》匯集起來，俱是異者自異，同者自同，尚非于不同中求同。廖平所作的『會同』工作，成效如何，自有客觀評價，但他這種探索新道路的精神，畢竟是可取的。」❹李氏在此文中曾提到傅隸樸先生的《春秋三傳比義》。

傅隸樸先生在《春秋三傳比義‧自序》中說道：「經解之亂，未有甚於《春秋》的了，有心人欲整齊之，便起而作綜合性的批評，最早者當推漢末馬融的《三傳異同說》，其書已不可見，以下較為可觀者，則有唐陸淳所輯《春秋啖趙二先生集傳辨疑》，宋劉敞的《春秋權衡》，清初《欽定彙纂》，顧棟高的《三傳異同表》，最後的作者，當為清末民初的廖平的《春秋三傳折衷》，惜都辭義簡約，深入而未能淺出。」又說：「作者不揣其翦陋，撰為是書，以《傳》發《經》之微，以《經》正《傳》之謬，於三《傳》之得失，有可比較者，則比較其得失以為斷。」又說：「總期於比較中得其正確的解釋，能有涓滴之助於微言大義之領略。」❺

因此，傅先生這部書，與廖平的《春秋三傳折中》不同，廖氏之作，是在比較三《傳》

---

❷ 廖平關於《公羊傳》的著作，較重要的有《何氏公羊解詁三十論》三卷，《公羊解詁商榷》二卷，關於《穀梁傳》的著作，較重要的有《穀梁先師遺說考》四卷，《重訂穀梁春秋經傳古義疏》十一卷，關於《左傳》的著作，較重要的有《左傳漢義補證》十二卷，《五十凡駁證》一卷。

❸ 廖平：《春秋三傳折中》之〈敘〉，載《廖平選集》下冊，成都，巴蜀書社，一九九八。

❹ 李燿仙：〈廖平選集內容評介〉，載《廖平選集》下冊，成都，巴蜀書社，一九九八。

❺ 傅隸樸：《春秋三傳比義》，臺灣商務印書館，一九八三，下引並同。

之說後，求其義旨的「會同」，求其皆可通於《春秋》之經。傅氏之作，是在比較三《傳》之說後，求其義旨的孰是孰非，求其何者符合《春秋》之經。兩書基本目的，有此不同。

廖平《春秋三傳折中》一書，僅有二十九條，乃係舉例的性質，而傅隸樸先生的《春秋三傳比義》，則是對於《春秋》及三《傳》，作出了全面性的比較研究之書。

以下，先就廖氏書中，舉出十條例證，依次錄出《春秋》經文，三《傳》傳文，廖氏《折中》之意見，然後再取相同問題的傅氏見解，作出比較。

廖氏之書，對於《春秋》三《傳》，是以「求同」為其目的，因此，在該書的二十九條例證之中，我們相信廖氏都已達到「於不同之中以求其同」的目標。傅氏之書，對於《春秋》三《傳》，是以比較其義，務使「異者自異，同者自同」為目標。

對於廖氏「會同」三《傳》的意見，我們再取傅氏「比較」三《傳》的意見，作為對比。如果廖氏傅氏二人的意見大體相近相似，我們則初步認為《春秋》三《傳》此條的要旨大義是可以會通折中的。反之，如果廖氏傅氏二人的意見大體相反相左，我們則初步認為《春秋》三傳此條的要旨大義是不易會通折中的。當然，在對於三《傳》說解的文字方面，我們儘量略其「偶殊」的地方，而儘量從「宏綱巨領」的《春秋》要義能否契合處去作闡釋。

二、三《傳》可以「折中」之例

(一)論魯莊公築王姬之館于城外

《春秋》莊公元年記曰：

秋，築王姬之館于外。

《左傳》曰：

秋，築王姬之館于外，為外，禮也。❻

《公羊傳》曰：

---

❻ 《左傳注疏》，臺北，藝文印書館影印阮刻《十三經注疏》本，下引並同。

何以書？譏。何譏爾？築之，禮也，于外，非禮也。于外，何以非禮？築于外，非禮也。其築之何以禮？主王姬者，必為之改築。主王姬者，則曷為必為之改築？於路寢則不可，小寢則嫌，群公子之舍，則以卑矣，其道必為之改築者也。❼

《穀梁傳》曰：

築，禮也。于外，非禮也。築之為禮，何也？主王姬者，必自公門出，於廟則已尊，於寢則已卑，為之築，變之正也。築之外，變之為正，何也？仇讎之人，非所以接婚姻也，衰麻，非所以接弁冕也。其不言齊侯之來逆，何也？不使齊侯得與吾為禮也。❽

廖平《春秋三傳折中》曰：

按《經》書築館于外，三《傳》異文：《左氏》謂「于外為禮」，《公羊》謂「于外非禮」，《穀梁》：「築（之），禮也。」「築之外，變之正也。」先儒不得其解，於是各師一說，無敢求通。今考《經》例，外當地不地，非外也。莊公忘親事仇，實築於內，《春秋》變其實而託於外，外王姬即以外齊侯，使齊侯未嘗至國者然。《左氏》就仇齊言，故云於外為禮，所以避公與齊接也。《公羊》就主婚言，故云：「于外非禮。」所以惡公輕王姬也。《穀梁》「于外非禮」，即《公羊》主婚之說，「築之外，變之正」，即《左氏》仇齊之說。《公羊》、《左氏》，各言一節，《穀梁》合之，其義始全。是此條，三《傳》互異而義則相通，說者當據此為準，不可一見異文，遂求相反，則於《經》義，斯為得矣。❾

今案《春秋》莊公元年記「夏，單伯逆王姬，秋，築王姬之館于外」，單伯送王姬來魯，魯必需為之準備館舍，於是築王姬之館于城外，《左傳》以為築館於城外，「禮也」，是合於禮的行為。《公羊傳》以為天子嫁女於諸侯，使魯國（與周天子同姓）諸侯為之主婚，魯為之築館舍，固然是合禮的行為，但是，為之築館舍於城外，便不合禮制了。《穀梁傳》以為

---

❼《公羊傳注疏》，臺北，藝文印書館影印阮刻《十三經注疏》本，下引並同。

❽《穀梁傳注疏》，臺北，藝文印書館影印阮刻《十三經注疏》本，下引並同。

❾廖平：《春秋三傳折中》，載《廖平選集》下冊，成都，巴蜀書社，一九九八。下引並同。

「築，禮也，于外，非禮也」，與《公羊傳》相同。

廖氏以為，因魯桓公為齊襄公所殺，周莊王嫁女於齊襄公，又使魯為之主婚，「莊公忘親事仇，實築於內，《春秋》變其實而託於外，外王姬即以外齊侯，使若齊侯未嘗至國者然」，「《左氏》就仇齊言，故云於外為禮，所以避公與齊接也。《公羊》就主婚言，故云於外非禮，所以惡公輕王姬也」，又以為，《穀梁》「于外非禮」，即《公羊》主婚之說，「築之外，變之正」，即《左氏》仇齊之說，「《公羊》、《左氏》各言一節，《穀梁》合之，其義始全」，「是此條，三《傳》互異而義則相通，說者當據此為準，不可一見異文，遂求相反，則於《經》義，斯為得也」。

傅隸樸先生《春秋三傳比義》對於《左傳》的見解，先引《杜預注》說云：「公在諒闇，虞齊侯當親迎，不忍便以禮接于朝，又不敢逆王命，故築舍于外。」以為杜氏之說，所謂「不忍」，是指齊襄公謀殺桓公，若來親迎，則必須行廟見之禮，此時桓公已入廟，莊公怎忍心讓殺父的仇人出現在父親的廟中，且親自接待他呢？故築館于城外，齊襄公如親來迎娶，就可在城外行禮，不必入城廟見了，故指「此說甚合情理」，但又以為，這是杜預竊取《穀梁》的意思，不是《左氏》的本義。至於《公羊傳》的見解，傅氏以為，宮室中國君所居之路寢與小寢，以及國君諸女的房寢，皆不適於王姬之居，故築王姬之館是合理的，但築于城外，就不合理了，因為城外的防護，不如城內的安全，漠視王姬之安危，是非禮的，「這一論極為通達」。至於《穀梁傳》的見解，傅氏以為，「築，禮也，于外，非禮也」，與《公羊傳》全同。故傅氏以為，「三《傳》相較，當以《公羊》為明確」。

是以《春秋》此條之義，三《傳》所解，可以會通折中，廖氏傅氏所見，也皆無殊。

(二)論齊襄公來魯逆王姬

《春秋》莊公十一年記曰：

冬，王姬歸於齊。

《左傳》記曰：

冬，齊候來逆共姬。

《公羊傳》曰：

何以書？過我也。

《穀梁傳》曰：

其志，過我也。

廖平《春秋三傳折中》曰：

按《經》不書字者，以王姬尊不能以伯仲見，與內女不同，《公》、《穀》皆云：志者過我也。《春秋》過我不志者多矣。此言因過而可志，不謂不過則不志。過我者，實送女於我，使我主婚也。攷春秋前時局，如今外人，男女無別，同姓為婚，齊桓姑姊妹不嫁者七人，與日本男親王必配女親王事同。孔子發明種學，使人以禮，別於禽獸，于是制同姓不婚之禮，然又與舊行之典相妨，不能兩通，於是定公主之制，使既仍貴賤不相為禮，又為同姓不婚。此《春秋》撥亂反正之一端，而亦可因新禮之文明，以攷見舊俗之蠻野者也。

今案《春秋》莊公十一年記「王姬歸於齊」，《左傳》以為「齊侯來逆共姬」，指齊桓公來魯國迎娶王姬，《公羊傳》與《穀梁傳》皆以為「過我」，指「時王者，嫁女於齊，塗過魯」（何休注），三《傳》所解，大義無殊。

廖氏則以為，「過我者，實送女於我，使我主婚也」，傅隸樸先生《春秋三傳比義》以為，「天子不能與諸侯為敵體，故王姬下嫁，必使同姓諸侯（按天子與魯君皆姬姓）主婚，《左傳》不明言代王姬主婚，而云齊侯來逆共姬，也是用側敘文筆」，其義與廖氏之說相同。至於廖氏所說，「孔子發明種學，使人以禮，別於禽獸，于是制同姓不婚之禮」，「此《春秋》撥亂反正之一端」者，則於經文之內，並無所見，廖氏所言，不免推測過遠。要之，《春秋》此條所敘，三《傳》所解，大義無殊，廖氏與傅氏所釋，也大體相同。

㈢論魯莊公會齊桓公盟于柯

《春秋》莊公十三年記曰：

冬，公會齊侯盟于柯。

《左傳》曰：

冬，盟于柯，始及齊平也。

《公羊傳》曰：

何以不日？易也。其易奈何？桓之盟不日，其會不致，信之也。其不日何以始乎此？莊公將會乎桓，曹子其曰：「君之意何如？」莊公曰：「寡人之生則不若死矣。」曹子曰：「然而君請當其君，臣請當其臣。」莊公曰：「諾。」於是會乎桓，莊公升壇，曹子手劍而從之，管子進曰：「君何求乎？」曹子曰：「城壞壓竟，君不圖與？」管子曰：「然而君將何求？」曹子曰：「願請汶陽之田。」管子顧曰：「君許諾。」桓公曰：「諾。」曹子請盟，桓公下與之盟，已盟，曹子摽劍而去之。要盟可犯，而桓公不欺，曹子可仇，而桓公不怨，桓公之信，著乎天下，自柯之盟始焉。

《穀梁傳》曰：

曹劌之盟也，信齊侯也。桓盟，雖內與不日，信也。

廖平《春秋三傳折中》曰：

按曹劌劫盟事，見於子史，無慮數十百見，不應虛偽。而《左傳》無其文者，亦如《公羊》但言《經》例，不及事實之《傳》，其實己包於「始及齊平」之內。前此齊魯兵爭，以後和好，非有要盟事，而何以云「始及齊平」乎？是《傳》不言者略之也。後儒謂《左氏》專詳事，《公》、《穀》專詳例，不知二《傳》所有之事，多為《左氏》所無，而此即其一端也。三《傳》同出一源，本無異例，不過記事各有詳略而已。

今案《春秋》莊公十三年記「公會齊侯盟于柯」，《左傳》不載曹劌劫桓公之事，而《公羊傳》則詳記其事，又特為稱許桓公，以為「桓公之信，著乎天下，自柯之盟始焉」，而《穀梁傳》則略言其事。

廖平以為，曹劌劫盟之事，《左傳》無其文，其實已包於「始及齊平」四字之內，《左傳》不明言，蓋略之也。因前此齊魯兵爭，以後和好，非有要盟事，則《左傳》何以言「始及齊平」，側重一「始」字乎？

傳隸樸先生《春秋三傳比義》亦以為，「乾時之役，齊敗魯師，而迫魯殺子糾，長勺之役，魯敗齊師，後又退齊宋聯軍於郎，敗宋於鄑，兵連禍結，幾無寧日。此時桓公欲修伯業，故為柯之盟，與魯言好」，以為《左氏》曰：「始及齊平也。」乃「隱示《經》義在獎齊魯之釋怨修好」。其說與廖氏之說，大略相近。則三《傳》釋「盟于柯」之事，雖「各有詳略」，而其要義，則相同也。

(四)論魯莊公與諸侯會同于幽

《春秋》莊公十六年記曰：

冬，十有二月，(公)會齊侯、宋公、陳侯，衛侯、鄭伯、許男(伯)、曹伯、滑伯、滕子同盟于幽。

《左傳》曰：

同盟於幽，鄭成也。

《公羊傳》曰：

同盟者何？同欲也。

《穀梁傳》曰：

同者，有同也，同尊周也。不言公，外內寮，一疑之也。

廖平《春秋三傳折中》曰：

按《春秋》書同盟者十六，而此為其始。凡齊同盟皆為尊周，晉同盟皆為外楚。此會，大國言宋、齊，小國言滑、滕，則天下諸侯皆至之辭也。《春秋》自青州卒正而外，惟敘許，而天下卒正皆在，何以此會言滑？滑者豫州卒正也。《左傳》言三帥襲

> 滑，晉敗之於淆（殽）。是滑當為晉之屬國，不在常敘之十八國內，又不書會盟，不記卒葬，何以此會敘之？蓋敘者起晉在也。晉於周為同姓，《左傳》云：「周之宗盟，異姓為後。」使敘晉則當先齊，《春秋》以桓主盟，不能在他國下，嫌於見晉，又嫌於無晉，故敘一滑作以起之，此《春秋》微而顯隱而見義之說也。

今案《春秋》莊公十六年記「夏，宋人、齊人、衛人伐鄭，秋，荊伐鄭，冬，十有二月，（公）會齊侯、宋公、陳侯、衛侯、鄭伯、許伯（男）、曹伯、滑伯、滕子同盟于幽」，《左傳》謂「同盟於幽，鄭成也」，以為諸侯結盟，主要是為了鄭國而訂立和約，《公羊傳》謂「同盟者何？同欲也」，以為乃是諸侯之間，同心共欲，皆願結盟，《穀梁傳》謂「同尊周也」，以為諸侯結盟，乃是共同想要尊奉周天子，至於「不言公，外內寮，一疑之」，則是以為《經》文中未記魯莊公與會，是遠近諸侯皆懷疑魯莊公是否願共推齊桓公為盟主。

廖氏以為「《春秋》書同盟者十六，而此為其始，凡齊同盟皆為尊周，晉同盟皆為外楚」，此次會盟，晉國未在其中，廖氏以為，「此會大國言宋、齊，小國言滑、滕」，「滑當為晉之屬國，不在常敘之十八國內」，「何以此會敘之？蓋敘者起晉在也」，「使敘晉則當先齊，《春秋》以桓主盟，不能在他國下，嫌於見晉，又嫌於無晉，故敘一滑作以起之，此《春秋》微而顯隱而見義之說也」，主張此次會盟，齊桓公為盟主，晉國實在其中，而不欲使晉居於齊前，乃敘其屬國滑，以作補充襯托之說明。

傅隸樸先生《春秋三傳比義》則以為，「《春秋》書同盟者十六，屬齊桓者二，屬晉者十四，《穀梁》家以為屬齊桓者都是尊周，屬晉者都是病楚，全用臆解，毫無根據」，又以為，「《左傳》經文，會上無公字，杜注：『不書其人，微者也。』《公羊》經文上有公字，但董仲舒《春秋繁露．減國下篇》言：『幽之會，莊公不往。』是董仲舒所見《經》文，本無公字，故《公羊》經文之公字似屬衍文。《穀梁》以為不書公會，是因公與齊有戴天之讎。寮字同僚，指諸侯，外內指遠近，言遠近諸侯都懷疑莊公是否當列會與諸侯共同推尊桓公為伯。一疑之一，作都解，因有此疑點，故《經》不書公。據此，則莊公實會同諸侯共推桓公為伯，莊公之忘父讎，尚不忌與齊襄打交道，何至忌與桓公為會？諸侯疑其當否，正足以見其不當。但《穀梁》於此見得不夠明確，故其《傳》文也顯得艱澀不順。三家解釋要以《左傳》為簡當明白。」

是以傅氏雖不贊同「齊盟皆屬尊周，晉盟皆屬病楚」之見，亦未論及「幽之盟」，晉國是否與會，但於三《傳》論及「幽之盟」，其目的乃為鄭國被侵而訂立和平盟約，則均無異義，此則廖氏傅氏之見，也大略相同。

㈤論魯僖公之女季姬與鄫子遇于防

《春秋》僖公十四年記曰：

夏，六月，季姬及鄫子遇于防，使鄫子來朝。

《左傳》曰：

鄫季姬來寧，公怒，止之，以鄫子之不朝也。夏，遇於防，而使來朝。

《公羊傳》曰：

鄫子曷為使乎季姬來朝？內辭也，非使來朝，使來請己也。

《穀梁傳》曰：

遇者，同謀也，來朝者，來請己也。朝不言使，言使，非正也，以病繒子也。

廖平《春秋三傳折中》曰：

季姬及鄫子事，《公》、《穀》以為請己，《左傳》以為使來朝，服氏說，季姬不繫國，為未嫁辭，與伯姬（僖九年書卒）、子叔姬（文十二年書卒）同。如謂己嫁，則當繫國，與紀伯姬（莊四年書卒）、紀叔姬（莊二十九年書卒）同。下年歸鄫之書不為贅文乎？紀叔姬歸酅（莊十二年），本己嫁，故繫國，國而曰歸。酅，邑也，不繫國無以知為紀邑，又若別一叔姬者然。前書歸為始嫁，後書歸為失國，與此不同。婦人謂嫁曰歸，伯姬、叔姬之歸紀（隱七年）、歸杞（莊二十五年）、與歸宋（成九年），書。其例不異，況伯姬為季姬之姊，卒不繫國（僖九年），則季姬不繫國為未嫁，更無疑義。《白虎通。嫁娶篇》云：「《春秋》伯姬卒時，娣季姬更嫁鄫子。」昏禮嫡未往而死，媵亦當往，以媵為嫡，即諸侯不再娶之義。何君因更嫁之說，謂季姬先許于邾，季姬淫泆，改嫁于鄫，遂以執鄫子，用之附會於此，《傳》無其文，未為確證。又云：「魯不防正，其女乃使要遮鄫子淫泆，使來請己。」此為當日實事。夫諸侯女出，侍從必多，而舊染相安，彼此習慣，以前男女無別，面訂昏姻，不由媒妁，隨處媾和。魯莊尸女，諱言觀社。徐女擇壻，任意委禽。僖公雖賢，聲姜雖淑，猶于習尚，恐難禁遏。不得據今日之民風，疑艸昧之污俗。撥亂反正，《春秋》偉功。《公》、《穀》使來請己，就實事而言，為微言派；《左傳》使來朝，就諱例而言，為大義派。《經》凡書及者，以尊及卑，以內及外，齊高固先書逆，後書及，已嫁之辭。季姬先書遇，後書歸，未嫁之辭。已嫁則從夫婦辭，故曰：「高固及子叔姬來。」（宣五年）未嫁則從內外辭，故曰：「季姬及鄫子。」（近人褚搢升說）《曲禮》：「諸侯未及期相見曰遇。」遇禮有器幣，有儐相。言遇者，比之諸侯，變無禮為有禮，所謂諱例也。或疑《左傳》「鄫季姬來寧」，因誤以為已嫁。〈凡例〉：「諸侯之女，歸寧曰來」、「杞伯姬來」是也（莊二十七年）。今《經》不言來，《左氏》豈自違其例乎？又疑歸寧不當留魯至十五月之久，然莊世姜氏和齊，動逾數載，文世夫人如齊，未越一時。杜氏《釋例》：「女子既嫁，有時而歸。」人情之常，何關久暫。不過《公》、《穀》就事實言，昏姻自由，不可為訓，故《左傳》言來寧，為親諱惡，亦如莊二十七年「杞伯姬來」，後即書「杞伯來朝」之例。此三《傳》各言一端，所以并無異義也。

今案《春秋》僖公十四年記「夏，六月，季姬及鄫子遇於防，使鄫子來朝」，《左傳》以為魯季姬自鄫國回到魯國歸寧，因鄫子不同時來魯國朝見，故僖公怒，及至夏日，季姬與鄫子在防地相見，季姬乃使鄫子來魯朝見僖公。《公羊傳》以為季姬使鄫子朝魯，不過是魯國的飾辭，其實是季姬使鄫子來魯國請娶己為夫人。《穀梁傳》以為季姬與鄫子相見而相謀，以便使鄫子來魯，表面朝見僖公，目的則在聘娶季姬。

廖氏以為，《春秋》記季姬而未記魯國於其前，「為未嫁辭」，故《公羊傳》及《穀梁傳》以季姬使鄫子來朝魯聘己。《左傳》以為「季姬來寧」，為平僖公之怒，故相遇於防，使鄫子來朝魯，是指季姬為已嫁之時。廖氏以為，「《公》、《穀》使來請己，就實事而言，為微言派。《左傳》使來朝，就諱例而言，為大義派」，「此三《傳》各言一端，所以並無異義也」。

傅隸樸先生《春秋三傳比義》以為，「關於此《經》的解釋，僅就三《傳》文字看，並無大異」，「因季姬是僖公之女，嫁鄫子為夫人，返魯為父母請安，僖公怒鄫子不來朝，留季姬不令歸，欲以絕此婚姻，季姬乃私約鄫子來魯之防邑相會，使鄫子來朝僖公，以息僖公之怒，僖公果因鄫子之朝，而於明年九月讓季姬歸于鄫」。傅氏又以為，《公羊》說《經》，書「使鄫子來朝」是內辭（即為本國裝飾之語），並不是事實，事實是教鄫子「來請己」，所謂「請己」，即請僖公放己（季姬）回鄫。「照此解釋，正與《左傳》的說法相符合。」《穀梁》也說「來朝者，來請己也」，與《公羊傳》釋義相同。

是以《春秋》此條所記，《三傳》之義，大體相同，廖氏傅氏所說，重點也無太多差異。

以上所舉五例，每例之中，三《傳》之義，大體皆可會通折中，而廖氏傅氏之說，也大體並無殊異者。

三、三《傳》不易「折中」之例

㈠論魯桓公之子「同」生

《春秋》桓公六年記曰：

九月丁卯，子同生。

《左傳》曰：

九月丁卯，子同生，以太子生之禮舉之，接以太牢，卜士負之，士妻食之，公與文姜、宗婦命之。

《公羊傳》曰：

子同生者，孰謂？謂莊公也，何言乎子同生？喜有正也，未有言喜有正者，此其言喜有正何？久無正也，子公羊子曰：「其諸以病桓與？」

《穀梁傳》曰：

疑，故志之，時日同乎人也。

廖平《春秋三傳折中》曰：

按《經》書「子同生」一條，三《傳》文義未備，先儒多臆為之說。如何氏云：「不以世子正稱書者，明欲以正見無正也。」蕭氏曰：「桓公殺（弒）兄竊國，王法所誅絕，故於同生不書世，言不得繼世享國也。」孔氏說《春秋》又謂：「莊公書者冢嫡，不書者非冢嫡。」紛紛異說，皆未得《經》旨。今按杜氏《春秋釋例．母弟篇》：「《傳》稱季友文姜之愛子，與莊公同生，故以死奉般。」又《左傳》於文姜生季友時，記桓公卜筮之事，蓋莊公與季友本為雙生，及既生莊公後，文姜腹中猶震，故桓公卜之，蓋未知其為雙生否也。《史記》謂季子母為陳媯，是文姜雙生，不能兼養，故屬妾陳女養之，非真為陳媯之子。《經》書「同生」，蓋志其雙生之謂也。《禮》：「生子三月，（則）父（母）名之。」是《經》於初生，本無例名之義。又春秋十二公之名，例不見《經》，何至莊公生時，獨書其名，種種證驗，則同為雙生之說審矣。禮說文家據見立先生，質家據本意立後生，皆所以防愛爭立也。莊公與季友同生，其尊卑也微，《經》惡長幼爭立之禍，故直書同生，使人重別。《穀梁》：「疑，故志之。」即雙生形貌易於疑惑，非若舊說所謂齊襄之子。《公羊》：「其諸以病桓與？」即謂《經》書「同生」之意，蓋感於隱桓而發。《穀梁》「時日同乎人」，是與莊公與季友同生而言。《公羊》同謂莊公，是單就世子一人而言。兩相比較，其義益彰。餘若《左傳》謂莊生與桓同日，是蓋先儒記事之誤，非《經》義，與三《傳》不合也。

今案《春秋》桓公六年記「九月丁卯，子同生」，《左傳》記桓公「以太子生之禮舉之」，又記桓公曰，「是其生也，與吾同物，命之曰同」（杜注：「物，類也，謂同日。」）《公羊傳》以為莊公之生，「喜有正也」，喜國有嫡正之嗣子，《穀梁傳》以為「疑，故志之，時日同乎人也」，以為莊公之母文姜，淫于齊襄公，故疑莊公非桓公之子（本范寧注）。

廖氏以為「三《傳》文義未備，先儒多臆為之說」，又以為，「《經》書同生，蓋志其雙生之謂也」，「種種證驗，則同為雙生之說審矣」，以為「莊公與季友同生，其尊卑也微，《經》惡長幼爭立之禍，故直書同生，使人重別」，並以為《公羊傳》亦「感於隱桓（弒立）之事而發」，義與《左傳》相同，《穀梁傳》義亦相近。

傳隸樸先生《春秋三傳比義》以為，「《左氏》詳舉太子之禮，及命名之義，說明了《經》之所以書子同生者，由於桓公如此重視太子之生，故魯史特書於策」，「足破後人一般以為係夫子別嫌明微，以示莊公確為桓公之子，而非齊襄之私生子之猜說」，傳氏又以《公羊傳》之說，「與《左氏》暗合」，也有隱刺桓公篡弒之意。至於《穀梁傳》之說，傳氏則以為「荒謬無理」，並引朱子之說反駁，以證莊公非齊襄公之私生子。然則《春秋》此條，三《傳》之說，既不相同，廖氏傅氏之見，也未能折中近似也。

(二)論魯莊公不稱「即位」

《春秋》莊公元年記曰：

元年春，王正月。

《左傳》曰：

元年春，不稱即位，文姜出故也。

《公羊傳》曰：

何以不言即位？《春秋》君弒，子不言即位，君弒則子何以不言即位？隱之也，孰隱？隱子也。

《穀梁傳》曰：

繼弒君，不言即位，正也。繼弒君不言即位之為正，何也？曰，先君不以其道終，則子不忍即位也。

廖平《春秋三傳折中》曰：

按莊元年不書即位一條，《公》、《穀》謂「繼弒君，不言即位」，《左氏》謂「文姜出故」，「不稱即位」。杜氏誤解《傳》文，遂謂莊公因文姜不在國，不行禮，故「不稱即位」。不知二《傳》所言為書法，《左氏》所言為事實。《左氏》謂「文姜出」，即見公弒於齊，謂「文姜出」，「不稱即位」，即與二《傳》「繼弒君，不言即位」之義同。《春秋》於魯諱弒不書，則亂賊之名無由見，故《經》借即位之書不書以明繼君之與弒不弒，如隱、莊、閔、僖之不言即位，所以明其無爭國之心也；桓弒隱，宣弒子赤之書即位，所以明其有奪國之志也。二《傳》就《經》意立言，故直書曰：「繼弒君，不言即位。」所謂以微言說《經》者是也。《左氏》不以空言解《經》，故所言每就事實立義，所謂以大義傳《經》者是也。考《春秋》繼弒君不書即位者三，《左氏》解之各條皆不相同，除此條而外，如閔不言即位，《傳》曰：「亂故也。」僖不言即位，《傳》曰：「公出故也。」以聖經絕不可易之例而各就事實出，是其借事立義之確證也。苟探其本，則閔之亂，僖之出，亦不過因先君遇弒而已，與《公》、《穀》所謂「繼殺君，不言即位」之義莫不符同，相比而觀，其義自見。所謂三《傳》同出一源，固昭昭也。杜氏以《經》為仍魯史之舊，終於不書即位之條，概以行禮不行禮為斷，使果如其說，則文姜三月方孫，莊公何故正月不能行禮？若謂文姜感公之意而還，則公己忘文姜弒其父矣，何以三月又孫於齊？是知文姜之出，本無歸文，下言孫者，《經》義絕之。其實公之不言即位，斷非若杜說然也。

今案《春秋》莊公元年記「元年春，王正月」，《左傳》以為莊公「不稱即位」，是由於夫人文姜與桓公赴齊，桓公為齊襄公所殺，文姜不敢還國，故稱「文姜出」（本於杜注），《公羊傳》以為「君弒則子何以不言即位？隱之也」，是由於為人子者痛於君父之禍，故不忍稱即位，《穀梁傳》以為「先君不以其道終，則子不忍即位也」，其義與《公羊傳》相同。

廖氏以為，「謂文姜出，即見公弒於齊，謂文姜出，不稱即位，即與二《傳》繼弒君不言即位之義同」，「二《傳》就《經》意立言，故直書曰『繼弒君，不言即位』，所謂以微言說《經》者是也。《左氏》不以空言解《經》，故所言每就事實立義，所謂以大義傳《經》者是也」，故以為三《傳》之義，莫不符同，「相比而觀，其義自見。所謂三《傳》同出一源，固昭昭也」。

傅隸樸先生《春秋三傳比義》以為，如《左傳》之說，則「莊公不因父被殺於齊，戴天之仇未報，而不忍即位，乃因其謀殺君夫之淫母出，而不忍即位，則莊公尚稱得為人子嗎?」，且「桓公薨於齊，《經》書喪歸，亦未言姜氏同歸，這一出字從何生根?雖杜預多方為之彌縫，終不能言之成理，《左傳》本以史實見長，此《傳》則於史實義例，一無可取」。又以為，如據《公羊傳》之說，「《春秋》君弒，子不言即位，何以不言即位呢?因夫子為子悲痛，不忍言即位，似乎莊公曾行即位大典，因夫子憐其喪父，故不言即位，不知夫子筆削之義，在譏莊公之忘父仇不報，而妄為隱子之說，《公羊》此傳，殊失情理」。又以為，如據《穀梁傳》之說，「繼被弒之君即位者，例不言即位，此《傳》實得《經》義之正」。

是以廖氏以為三《傳》之義，「莫不符同」，而傅氏以為三《傳》各有其說，唯《穀梁傳》之說能「得《經》義之正」，則兩人之見解，並不相同，孰是孰非？猶待論定也。

㈢論「星隕如雨」

《春秋》莊公七年記曰：

夏，四月，辛卯，夜，恆星不見。夜中，星隕如雨。

《左傳》曰：

夏，恆星不見，夜明也。星隕如雨，與雨偕也。

《公羊傳》曰：

恆星者何？列星也，列星不見，何以知？夜之中，星反也。如雨者何？如雨者非雨也。非雨則曷為謂之雨？不修《春秋》曰：「雨星不及地尺而復。」君子修之曰：「星隕如雨。」何以書？記異也。

《穀梁傳》曰：

恆星者，經星也。日入至於星出，謂之昔。不見者，可以見也。「夜中，星隕如雨」，其隕也如雨，是夜中與？《春秋》著以傳著，疑以傳疑。中之幾也，而曰「夜中」，著焉爾。何用見其中也？失變（失當為天字之誤）而錄其時，則夜中矣。其不曰恆星之隕何也？我知恆星之不見，而不知其隕也。我見其隕而接於地者，則是雨說也。著於上見於下謂之雨，著於下不見於上謂之隕，豈雨說哉？

廖平《春秋三傳折中》曰：

按《春秋》記時之詳，惟此為最，時、日、月之外，一夜之中，又分時刻，此記事之體，應如此也。惟《經》書「星隕如雨」句，杜氏讀如為而，謂星隕時實有雨，遂與二《傳》立異。不知《穀梁》云：「著於上見於下謂之雨，著於下不見於上謂之隕。」此書者非星也，謂空中雜質飛行，欲書雨則只見於上，欲書隕則不著於下，故書曰「星隕如雨」，謂其似隕而又如雨也。《左傳》「與雨偕」者，謂此雖如星隕之隕，而又同於雨雪之雨，與《穀梁》同，《公羊》「如雨者，非雨也」，謂不盡如雨雪之雨，亦與《穀梁》同。舊說謂三《傳》互異，皆杜氏誤解《傳》文之所致。

今案《春秋》莊公七年記「夜中，星隕如雨」，《公羊傳》以為「如雨者非雨也」，《穀梁傳》以為「其隕也如雨」，皆以為星之隕落，其多如雨之下，《左傳》以為「與雨偕也」，則是以為星之隕落，雨也同時而下。是《左傳》與《公》、《穀》二傳，所解本不相同。廖氏則以為，「星隕如雨」句，「杜氏讀如為而，謂星隕時實有雨，遂與二《傳》立異」，遂將三《傳》互異之責任，推予杜預，不知杜氏僅依《傳》作訓而已，廖氏並謂，「此書者非星也，謂空中雜質飛行」，「謂其似隕而又如雨也」，則不免曲解《傳》文，有意強求三《傳》之同。

傅隸樸先生《春秋三傳比義》以為，《左氏》解「星隕如雨」為「與雨偕也」，故杜注「如，而也」，「星隕如雨，即星隕而且落雨，這個如字很重要，如果說星像雨一樣落，天上有多少星可以落？那是荒唐之言，《左氏》這一解釋最為合理合事實」，傅氏又提到范寧注「星隕如雨」謂「星既隕而復雨」，也與《左傳》相同。

要之，《春秋》此條記「星隕如雨」，三《傳》之說，實不相同，廖氏強求其同，未免牽合。

㈣論魯公子友如陳葬原仲

《春秋》莊公二十七年記曰：

> 公子友如陳，葬原仲。

《左傳》曰：

> 非禮也，原仲，季友之舊也。

《公羊傳》曰：

原仲者何？陳大夫也，大夫不書葬，此何以書？通乎季子之私行也。何通乎季子之私行？辟內難也。君子辟內難而不辟外難。內難者何？公子慶父、公子牙、公子友，皆莊公之母弟也。公子慶父、公子牙通乎夫人（哀姜）以脅公，季子起而治之，則不得與于國政，坐而視之，則親親，因不忍見也，故於是復請至于陳，而葬原仲也。

《穀梁傳》曰：

言葬不言卒，不葬者也，不葬而曰葬，諱出奔也。

廖平《春秋三傳折中》曰：

按《春秋》諸侯大夫無書葬者，此何以書「葬原仲」？蓋季友賢公子也，《春秋》避其出奔，故託之於「如陳葬原仲」，以為魯諱，以原仲之不當葬而葬，明季友不當出而出。此為外大夫書葬之一見例，而又因之以明監大夫死則葬於外國之禮。《公羊傳》曰：「通乎季子之私行。」通之云者，通其意也，謂本為出奔，特《春秋》通其意以為私行，而為魯諱，是與《左氏》「非禮」，《穀梁》「內諱」之意實同，據此而觀，三《傳》無異辭矣。

今案《春秋》莊公二十七年記「公子友如陳，葬原仲」，《左傳》以為公子友私自前往陳國會葬友人原仲，並未奉到國君之命令，是「非禮」的行為。《公羊傳》則以為前往陳國會葬友人，只是公子友的私人行為，其目的只是為了避開國內的災禍，因為，公子友與公子慶父、公子牙，都是莊公的兄弟，公子慶父與公子牙卻與莊公的夫人私通，公子友想要糾正二人，卻無此權力，坐視不理，卻又不忍見國事家事之敗壞，於是才藉故前往陳國。《穀梁傳》則以為《春秋》此處，記原仲之「葬」，卻未嘗記原仲之「卒」，是為公子友出往他國作隱諱。

廖氏以為「《春秋》諸侯大夫無書葬者」，此條何以書「葬原仲」？因公子友賢，故《春秋》言「如陳葬原仲」，以為魯國隱諱，以見原仲之不當葬而言葬，公子友不當出而言出，此是「外大夫書葬之一見例」。又以為《公羊傳》所謂「通乎季子之私行」，乃是公子友本為出奔，「特《春秋》通其意以為私行，而為魯諱」，因此，是與《左傳》所言「非禮」，《穀梁傳》所言「內諱」之意，是相同的，因而主張，「據此而觀，三《傳》無異辭」。

傅隸樸先生《春秋三傳比義》以為，《左傳》於本年《經》文「公會杞伯姬于洮」下已言「卿非君命不越境」，今公子友自行出境葬鄰國之大夫，故《傳》譏以為「非禮也」。又以為，《公羊傳》記公子友「請命於莊公而往陳國葬原仲，實際上乃是避叔牙慶父之難」，又引啖助之說曰：「大夫適他國會大夫葬，惡也，書之適以加惡，何名通其私行乎？」以反駁《公羊傳》之說。傅氏又以為，《穀梁傳》謂「言葬不言卒，不葬者也」，按《經》書葬者，乃明季友之行，「是為季友書，並非為原仲書，原仲為陳國大夫，豈有魯史為陳國大夫書卒之例？」傅氏又引《春秋彙纂》之說曰：「人臣無境外之交，季友越國會葬，故《春秋》直書以示貶，《公》、《穀》之說皆非也。」至此，傅氏以為，「三《傳》應以《左》義為是」。

要之，《春秋》此條所記，廖氏以為「三《傳》無異辭」，傅氏以為「三《傳》應以《左》義為是」，則是欲求折中三《傳》之義，恐猶有待也。

(五)論鄭伯克段于鄢

《春秋》隱公元年記曰：

鄭伯克段于鄢。

《左傳》曰：

書曰：「鄭伯克段于鄢。」段不弟，故不言弟；如二君，故曰克；稱鄭伯，譏失教也，謂之鄭志，不言出奔，難之也。

《公羊傳》曰：

克之者何？殺之也，殺之則曷為謂之克？大鄭伯之惡也。曷為大鄭伯之惡？毋欲立之，己殺之，如勿與而已矣。

《穀梁傳》曰：

克者何？能也，何能也？能殺也。何以不言殺？見段之有徒眾也。段，鄭伯弟也，何以知其為弟也？殺世子母弟目君。以其目君，知其為弟也。段，弟也，而弗謂弟；公子也，而弗謂公子，貶之也。段失子弟之道也，賤段而甚鄭伯也。何甚乎鄭伯？甚鄭伯之處心積慮成於殺也。

廖平《春秋三傳折中》曰：

按鄭伯克段一事，《公》、《穀》謂殺，《左傳》謂奔，杜氏本《傳》說謂弟害兄則去弟罪段，何氏本《公羊》說謂「嫌鄭伯故變殺言克」。諸家言各一端，於《經》義皆有未逮。今考《經》例，「殺世子母弟目君」，如「天王殺其弟年夫」、「晉侯殺其世子申生」之類是也。「殺大夫不目君」，如書「宋殺其大夫」、「衛殺其大夫」之類是也。《經》目鄭伯，故知段非大夫，下諱鄭忽，故知段非世子。段為母弟，一望而知。又《經》云「克段」，《左傳》云：「如二君，故曰克。」又一條云：「得獲曰克。」《經》例「獲器用曰得，得牛馬曰獲」，《經》書克者，謂既獲其人，又得其物，亦如「武王克商」之意，非若何注「嫌鄭伯故變殺言克」也。按《經》此事如書奔，則與秦鍼同，如書殺，則與年夫同，故以「克」字加之，然後鄭伯之陰謀始

> 能畢露，又何計其為奔與殺哉。三《傳》各探其意而為之說，跡雖小異，實則相同，如《傳》云：「如二君」者，謂鄭伯養成段惡之辭，「譏失教」者，謂鄭伯處心害段之辭，綜而觀之，與《公》、《穀》惡鄭伯之意，莫不符合。是知《公》、《穀》稱殺，《左氏》稱奔者，不過各就「克」字之義，推衍說之，其實并無大異。

今案《春秋》隱公元年記「鄭伯克段於鄢」，《左傳》以為鄭伯與共叔段「如二君，故曰克」，《公羊傳》以為「克之者何？殺之也」，《穀梁傳》以為「克者何？能也，何能也？能殺也」，「賤段而甚鄭伯也」，「甚鄭伯之處心積慮，成於殺也」。

廖平以為「諸家言各一端，於《經》義皆有未逮」，以為「《經》書克者，謂既獲其人，又得其物」，「故以克字加之，然後鄭伯之陰謀始能畢露」，故以為《左傳》之意，「與《公》、《穀》惡鄭伯之意，莫不符合」。

傅隸樸先生《春秋三傳比義》以為，「克」字乃助動詞，無言外之義，並引孫復《春秋尊王發微》之說曰：「克者力勝之辭，因隱公與段，兄不成兄，弟不成弟，故《經》文交譏之。」並以為，《左傳》隱公十一年記鄭莊公之言曰：「寡人有弟，不能和協，而使餬其口於四方。」是共叔段並未被殺。故「克」與「出奔」，在行文上是相為照應的，由於莊公

「克」，故段「出奔」，由於段「出奔」，故「克」不是「殺」，夫子以為此種天倫之變，不足以垂訓，用一「克」字點破經過，不必說到絕處。故傅氏以為，《公羊傳》訓克為殺，《穀梁傳》為避免襲取《公羊傳》釋「克」之跡，乃在「殺」字上加一「能」字，皆無據之詞。

比較廖氏與傅氏之見，就「克」字之解釋入手，則廖氏以「克」者「既獲其人，又得其物」，解「克」字為實有之義，加「克」字，「然後鄭伯之陰謀始能畢現」，以為就「克」字之解釋而言，三《傳》意皆相同，皆惡鄭伯。而傅氏以「克」字乃助動詞，並非「獲得」之義，以此而解釋三《傳》，則《左傳》之說為是，而《公》、《穀》之說為非。

要之，此條之中，廖氏必欲折中三《傳》之說，恐亦未必成功。

以上所舉五例，皆屬三《傳》之解，各自異說，而廖氏傅氏所釋，也不易為之會通折中者。

四、結語

廖平在《春秋三傳折中》書中，舉出了二十九條例證，他自然是充滿了信心，相信此二十九條例證，都是可以會通三《傳》的義旨。或許，他還想藉此二十九條例證，推論其餘，認為都可以會通三《傳》釋《經》的義旨。

在前兩節中，我們就廖平所撰的《春秋三傳折中》一書，選出了十條例證，作為分析比較的資料，這十條例證，在廖氏該書的二十九條例證之中，僅居三分之一。這十條例證，經過解釋分析，並取與傅隸樸先生《春秋三傳比義》書中同條的見解比較之後，可以見出，其中有五條，《春秋》三《傳》之說，是可以會同折中的。另外有五條，則《春秋》三《傳》之說，是無法會同折中的。

如果按照比率原則推論，則廖平《春秋三傳折中》書中的二十九條例證，其三《傳》要義可以折中與不易折中的數量，也約略應為十五條與十五條之比吧！

如果廖氏真是希望將折中三《傳》義旨之例證，推廣到其他《春秋》經文的解釋，則依照比率原則，三《傳》中不易會同的例子，自然也更將提高。

楊鍾羲在批評廖平《春秋三傳折中》一書時說：「平謂言三《傳》者，喜言其異，不言其同，為之折中，以惠公仲子當從《穀梁》，母以子氏，比例成風，持論為有依據，餘多依違兩可，強作調人。」⑩楊氏「強作調人」的批評，也許過於苛刻，畢竟，廖氏會同三

⑩ 見《續修四庫全書總目提要》卷四，頁八〇三。北京，中華書局，一九九三。

《傳》的用心與努力，仍然是值得人們去欽佩的。

五、附論

由於討論廖平《春秋三傳折中》的問題，同時也延伸思考到另外兩個相關的問題：

(一)研治《春秋》如何取徑的問題

《漢書・藝文志》著錄《春秋古經》十二篇，《經》十一卷，《左氏傳》三十卷，《公羊傳》十一卷，《穀梁傳》十一卷，《鄒氏傳》十一卷，《夾氏傳》十一卷。及至後世，《鄒氏傳》、《夾氏傳》亡佚，是以《春秋》五《傳》，僅餘三《傳》，西漢時，《公羊》、《穀梁》，立為博士，是為今文經學，東漢時，《左傳》立為博士，是為古文經學。

歷代學者研治《春秋》，大約有如下幾種途徑：

1. 兼治三《傳》，求其會通——如廖平的《春秋三傳折中》所從事者。
2. 兼治三《傳》，求其是非——如傅隸樸的《春秋三傳比義》所從事者。
3. 專治一《傳》，酌參異說——如皮錫瑞所謂「《春秋》一經，尤重專門之學」，「學者宜專治一家」⓫的主張，以至分別研治三《傳》所從事者。

4.不信三《傳》，獨據古《經》——如唐人盧仝所採「《春秋》三《傳》束高閣，獨抱遺《經》究終始」之主張⓬，以至如宋人孫復的《春秋尊王發微》所從事者。

因此，研治《春秋》之學，如何取徑入手，確實是學者們首先需要思考而抉擇的問題。

(二)面對注疏如何從違的問題

《春秋》三《傳》，本以解《經》，三《傳》又各有注、有疏、有新疏，面對這一系列的注疏，以至於後世針對這些注疏所撰著的其他著作，我們又將如何去參考呢！

以《左傳》而言，有杜預之《注》，有孔穎達之《疏》，有劉文淇之《春秋左氏傳舊注疏證》，以及歷來許多有關《左傳》的著述。

以《公羊傳》而言，有何休之《注》，有徐彥之《疏》，有陳立之《公羊義疏》，以及歷來許多有關《公羊傳》的著述。

⓫ 見皮錫瑞：《經學通論》卷四，頁八八，臺北，河洛圖書出版社，一九七四。

⓬ 參拙稿：〈春秋三傳束高閣，獨抱遺經究終始？——盧仝《春秋摘微》析評〉，載《經學研究論集》，頁三四九—三六九，臺北，學生書局，二〇〇二。

以《穀梁傳》而言，有范寧之《注》，有楊士勛之《疏》，有鍾文蒸之《穀梁補注》，以及歷來許多有關《穀梁傳》的著述。《傳》本以解《經》，但是，三《傳》所解之《經》義，已有不同之處。《注》本以解《傳》，但是，杜預、何休、范寧，所解之文字，是否能各得三《傳》之真，又已有疑。《疏》本以釋《注》，但是，孔穎達、徐彥、楊士勛所釋之文字，是否已能各得杜、何、范三《注》之真，又已有疑。《新疏》本以重新疏釋三《傳》及《注》，但是，劉文淇、陳立、鍾文蒸所疏釋之文字，是否已能各得三《傳》三《注》之真，又已有疑。推而至於其他有關《春秋》及三《傳》之著述（包括三部《經解》中的相關著作），其所闡釋，也都可以作如是觀。

因此，研治《春秋》，研治三《傳》，參考有關的注疏，是必要的步驟，但是，注疏是否「走失真義」，人們如何去參考注疏，而又儘量避免被誤導，也是需要注意的問題。因此，《經》、《傳》、《注》、《疏》、《新疏》，在參考引述時，彼此之間反複勘驗，力求客觀理解，也許是避免被誤導觀點，可以採取的方式。

另外，再進一步從問題的根本上來看，當我們面對先聖的經典，面對先賢的注疏時，我們應該是儘可能地去「回歸原典」？抑或是允許無限制地去進行「創造的詮釋」？換句話說，研治經典，如果我們既不願意「墨守陳規」，但又不願意「厚誣古人」時，那麼，兩者之間的距離或尺度，又如何拿捏？恐怕也是我們應該思考的問題。

由於討論廖平的《春秋三傳折中》，而引發了一些相關問題的思考，乃記之如上，以就教於高明。

（此文於二〇〇六年十一月二十三日在中央研究院中國文哲研究所主辦之「四川學者的經學研究第二次學術研討會」中宣讀）

國家圖書館出版品預行編目資料

經學研究續集

胡楚生著. – 初版. – 臺北市：臺灣學生，
2007 [民 96]
面；公分

ISBN 978-957-15-1366-9 (精裝)
ISBN 978-957-15-1365-2 (平裝)

1. 經學
2. 文集

090.7　　96013435

經學研究續集（全一冊）

著作者：胡楚生
出版者：臺灣學生書局有限公司
發行人：盧保宏
發行所：臺灣學生書局有限公司
臺北市和平東路一段一九八號
郵政劃撥戶：〇〇〇二四六六八號
電話：(〇二)二三六三四一五六
傳真：(〇二)二三六三六三三四
E-mail：student.book@msa.hinet.net
http://www.studentbooks.com.tw

本書局登記證字號：行政院新聞局局版北市業字第玖捌壹號

印刷所：長欣彩色印刷公司
中和市永和路三六三巷四二號
電話：二二二六八八五三

定價：精裝新臺幣四六〇元
平裝新臺幣三八〇元

西元二〇〇七年九月初版

09015

ISBN 978-957-15-1366-9 (精裝)
ISBN 978-957-15-1365-2 (平裝)

臺灣學生書局出版

經學研究叢刊

❶	三國蜀經學	程元敏著
❷	書序通考	程元敏著
❸	東漢讖緯學新探	黃復山著
❹	經學研究論集	胡楚生著
❺	朱熹經學志業的形成與實踐	陳志信著
❻	經學研究續集	胡楚生著